目次 ••••

6年の理科は
このように
進めていこう。

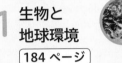

見つけよう

 問題を見つける

？ 問題

調べよう

予想

計画

観察

実験

結果

6年の学習で特に
大切なところです。

考察

伝えよう

！ 結論

ページによっては，
省略されている
マークもあります。

理科の学び方 ようこそ! 理科の世界へ

理科では，自然の中から見つけた問題を調べます。
次のように，調べたり，考えたり，話し合ったりして，
自然を解き明かしていきましょう。

いっしょに楽しく
学んでいこう。

① 問題を見つけよう

気づいたことを整理して，「どうなるだろう」
「なぜだろう」から問題を作っていこう。

② 予想しよう

問題について，予想しよう。なぜそのように
予想したのか，理由もはっきりさせよう。

③ 計画を立てよう

予想を確かめるために，条件をどのように
整えて調べたらよいか考えよう。

④ 調べよう

変える条件・変えない条件を整えて，観察や実験を
しよう。別の方法を使うなど，多面的に調べよう。

ふり返ろう

⑤ 記録しよう

観察や実験の結果や気づいたことを
記録しよう。

⑥ 考えよう

調べた結果を表やグラフなどを使って表そう。
予想したことなどをふり返り，結果からわかることを
整理して，予想と結果に適した考えを見いだそう。

話し合いのしかた

- 自分の意見をわかりやすくはっきり
  説明しよう。
- 考えた理由を説明しよう。
- 友達の意見は最後までしっかり聞こう。
- わからないことは質問しよう。
- 自分とちがう考えでもまちがいと
  決めつけないで，じっくり聞こう。

⑦ まとめよう

原因や調べた方法と結果を関係づけて，
わかったことをまとめよう。自分と友達の
発表を比べて，考えを深めよう。

教科書の使い方

この教科書は，次のように使おう。

164 ページ

165 ページ

見つけよう

① 「私たちの生活と電気」の初めのページを開いたところです。図や写真を見て，生活の中で使われている電気について考えよう。

② 気づいたことについて話し合おう。

この場面で，どこに注目したらよいかのヒントです。初めのページにあります。

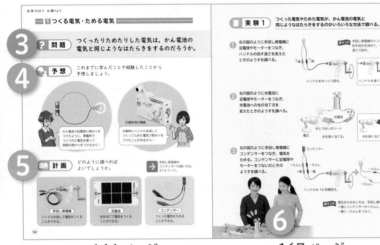

166 ページ

167 ページ

調べよう

③ ②の話し合いをもとに問題文を作ろう。

④ 問題文についての予想をしよう。予想した理由も書こう。

⑤ 予想を確かめるための計画を立てよう。

⑥ 「注意」や「ポイント」を確かめながら実験をしよう。

登場するキャラクター

みんなにヒントやポイントを伝えるよ。

ジャーガ先生

私たちもよろしくね。

いっしょに楽しく学んでいこう。

教科書に使われているマーク

注意 危険がないように気をつけよう。

ポイント 観察・実験などをするときに，気をつけよう。

○○の使い方 器具などの使い方やいろいろな方法を学ぼう。

○○で学んだこと ほかの教科や下の学年で学んだことを参考にしよう。

── 別の方法 ── 別のものや別の方法をしょうかいしています。

⑦ 結果を記録しよう。

> 結果を写真や実験記録で
> 示しています。

⑧ 予想と結果を比べて，
友達と話し合って考えよう。

⑨ みんなの考えたことを
まとめて，わかったことを
書こう。

⑩ 各単元の最後にある「確かめよう」
や「学んだことを生かそう」にも
ちょう戦しよう。
その後，初めのページに
もどって学習をふり返ろう。

⑪ 資料を読んで
学習を深めよう。

> 学習したことを確かめる
> ためのまとめの問題です。

> 学んだことを生かして
> 学習を深める問題です。

伝えよう

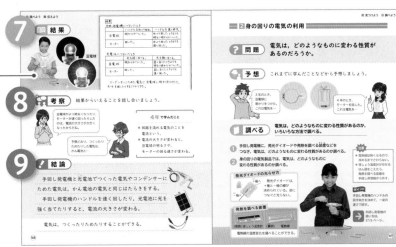

168 ページ

169 ページ

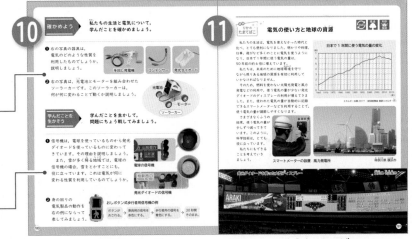

180 ページ

181 ページ

 学んだことに関わる
読みものなどの
資料です。

 学んだことを生かして，
学習を深めよう。

 もっと広く，深く
学習したい人は，
チャレンジしよう。

 ESD は，「イー・エス・ディー」
と読みます。地球の未来に
ついて考えよう。

 自然の大切さについて
考えよう。

 災害を防ぐことに
ついて考えよう。

 理科と仕事の関わりに
ついて考えよう。

 日本の伝統や文化への
関心を高めよう。

 科学技術への
関心を高めよう。

 英語の表現を見て
関心を高めよう。

 下のウェブサイトを見て
参考にしよう。

【たのしい理科ウェブ】

https://www.
dainippon-tosho.
co.jp/web/rika/

私たちの生活と環境

私たちは，空気や水，動物や植物などの環境と，深く関わって生活しています。私たちの生活が，どのように環境と関わっているか，気づいたことを話し合いましょう。

ある生物を中心にして周りを見たとき，その生物をとりまいているものを「環境」というよ。

6年の学習を通して,私たちの生活がどのように環境と関わっているのかが見えてきます。

私たちの生活と環境との関わりを考えながら,学習を進めていきましょう。

7 水よう液の性質

食塩水 炭酸水 アンモニア水

10 私たちの生活と電気

3 体のつくりとはたらき

4 植物の成長と水の関わり

11 生物と地球環境

8 土地のつくりと変化

6 月と太陽

5 生物どうしの関わり

2 植物の成長と日光の関わり

1 ものの燃え方

9 てこのはたらき

これからの学習のために，準備しておく。

ジャガイモ
（植物の成長と日光の関わり）

① 土を深く耕して肥料を入れ，約10cmの深さにたねいもを植える。

約10cm

肥料

② ジャガイモが約5〜10cmにのびてきたら，成長のよいものを残して育てる。

根元をおさえて，ねじりながら引きぬく。

ホウセンカ
（植物の成長と水の関わり，生物どうしの関わり）

① 花だんを耕して肥料を混ぜ，1か所に3，4つぶずつ，約15cmの間を空けて種子をまく。種子がかくれる程度に土をかける。

② 葉が4枚ほどになったら，成長のよいものを残して育てる。

 →

9

1 ••• もののの燃え方

　私たちは，生活の中でいろいろなものを
燃やしています。
　ろうそくが燃えるようすや，ろうそくを
おおったときのようすを見て，
気づいたことを話し合いましょう。

ろうそくが
燃えているね。

ちょうちんは，風で
火が消えないように
するために，周りを
おおっているのかな。

風で消えないように,
火のついたろうそくを
おおってみよう。

底の開いて
いるびん

ろうそくに火をつけ, 底の
開いているびんをのせて,
ふたをしてみましょう。

 理科室のきまりは,
208 ~ 209 ページ。

注意

びんやふたが熱くなるので,
やけどをしないようにする。

ろうそく立て

ねん土

ろうそくに
火をつけて
びんをのせ,
ふたをする。

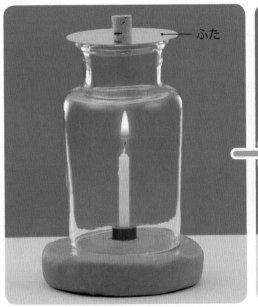

ふた

あれ,
火が消えて
しまったね。

ろうそくが
燃え続けるのは
どのようなときか,
見てみよう。

11

1 ものの燃え方と空気

びんにふたをすると
空気が入らなく
なったから，
火が消えたのかな。

かまどの火をうちわで
あおぐとよく燃えたよ。
だから……

新しい空気が
びんの中に
入れば，燃え
続けるのかな。

[ろうそくが燃えるときの空気のようすを調べよう]

1 平らにしたねん土の一部を切りとり，びんをのせた
ときに底にすき間ができるようにする。

2 ねん土の上にろうそくを立てて火をつけ，底の開いて
いるびんをのせて，ろうそくが燃えるか調べる。

3 すき間の近くに火のついた線こうを近づけ，
けむりの動きを見る。

→ 理科室のきまりは，
208 ～ 209 ページ。

注意 びんが熱くなるので，
やけどをしないようにする。

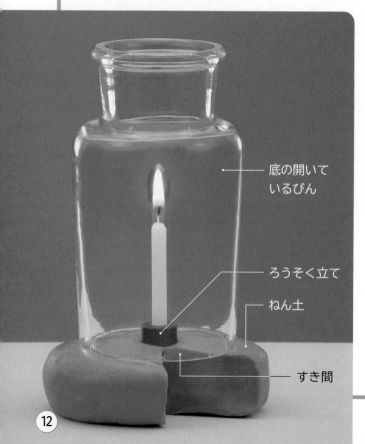

底の開いて
いるびん

ろうそく立て

ねん土

すき間

線こう

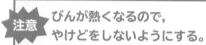

線こうのけむりで，
空気の動きが
わかるね。

けむりが
びんの中に
入っていった。

燃え続けた。

けむりの流れで,
底のすき間から
空気が入っている
ことがわかるね。

燃え続けるため
には,びんの中の
空気が入れかわる
ことが必要なんだね。

びんの上も下も
開いていないときは
空気が入れかわらない
から火が消えたんだね。

びんの中でものが
燃え続けるには,空気が
入れかわる必要があります。

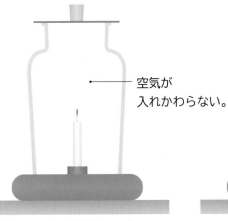

空気が
入れかわらない。

火は消える。

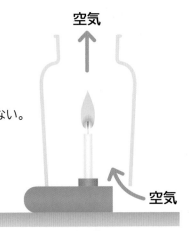

空気

空気

空気が入れかわると,
燃え続ける。

びんの中でものが燃え続ける
ためには，空気が入れかわる
ことが必要だとわかったね。

空気が入れかわると
なぜ燃え続けるの
だろう。空気について
調べてみたいな。

[空気中のちっ素や
酸素などの体積の割合]

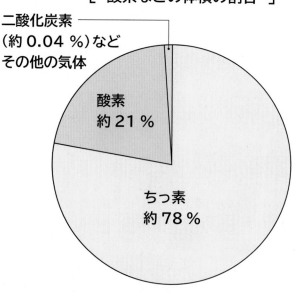

二酸化炭素
（約 0.04 ％）など
その他の気体

酸素
約 21 ％

ちっ素
約 78 ％

空気はちっ素，酸素，二酸化炭素などの
気体からできています。

? 問題　ちっ素，酸素，二酸化炭素には，ものを燃やすはたらきがあるのだろうか。

予想

空気中の気体の体積の割合や，経験したことや
学んだことから予想しましょう。

空気中で
一番多いのは
ちっ素だから……

二酸化炭素は
とても少ないから…

計画

どのように調べれば
よいでしょうか。

気体をびんに集めて，
火のついたろうそくを
入れてみたら
いいんじゃないかな。

実験1　それぞれの気体の中での ろうそくのようすを比べながら調べる。

① 水の中にびんを入れ，下の図のように 口を下にして立てる。

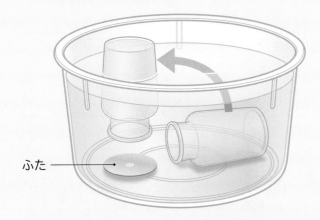

ふた —

| ちっ素の ボンベ | 酸素の ボンベ | 二酸化炭素の ボンベ |

② ちっ素，酸素，二酸化炭素を それぞれ別のびんに集める。

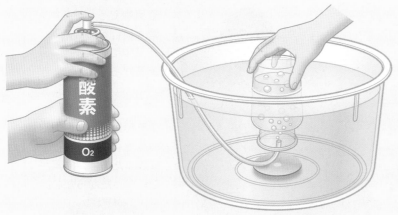

水の中で気体を集め， ふたをして，水から出す。

③ 火のついたろうそくを それぞれのびんの中に入れて， ろうそくが燃えるか観察する。

 理科室のきまりは， **208 〜 209 ページ。**

注意
● ボンベの気体を吸わない。
● びんやふたが熱くなるので， やけどをしないようにする。

燃しょうさじ

水 —

📖 結果

結果

○……燃えた。 ×……燃えなかった。

気体	燃えたかどうか	びんに入れたときのようす
ちっ素	×	すぐに消えた。
酸素	○	ほのおが大きくなって明るくなった。やがて消えた。
二酸化炭素	×	すぐに消えた。

💬 考察

結果からいえることを話し合いましょう。

自分の予想をふり返って、結果からどのようなことがいえるか話し合おう。

空気中に一番多いちっ素の中ではろうそくが燃えると思ったけど、ちがった。

ものが燃えるには、酸素が必要なんだね。

空気中でろうそくが燃え続けるのは、空気中に酸素があるからなんだね。

ふたをしたびんの中でろうそくが燃え続けなかったのは、酸素がなくなったからかな。

❗ 結論

酸素には、ものを燃やすはたらきがある。

ちっ素や二酸化炭素には、ものを燃やすはたらきがない。

TRY!
深めよう

空気のあるところとないところで 木を熱してみよう！

　木や紙などを空気中で熱すると，ほのおを出して燃え，炭や灰になります。また，空気がないときは炭になります。空気があるところと空気がないところで，木を熱して確かめましょう。

[空気のあるところ]

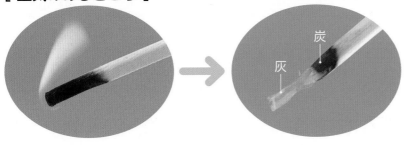
灰　炭

注意

熱したものや使った器具は熱くなっているので，冷めるまでさわってはいけない。

→ 理科室のきまりは，208 ～ 209 ページ。実験用ガスこんろの使い方は，214 ページ。

[空気のないところ]

❶ アルミニウムはくで木を包む。

❷ 右の写真のようにして，熱する。

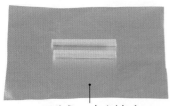
アルミニウムはく

炭

いろいろな植物の炭を作ろう

金属の空きかん（一度焼いて，と料をはがしておく。）

けむりが出なくなるまで熱する。

小さな穴を開けたアルミニウムはく

注意
● かん気をする。
● 出てくるけむりは燃えるので，火を近づけない。
● かんは熱くなっているので，冷めてからとり出す。

2 ものが燃えるときの空気の変化

 問題を見つける

酸素を入れたびんの中でも，ろうそくの火はやがて消えました。

ものが燃えると，酸素はなくなってしまうのかな。

酸素を入れたびん

やがて消えた。

? 問題

ものが燃える前と燃えた後の空気には，どのようなちがいがあるのだろうか。

予想

経験したことや学んだことから予想しましょう。

ものが燃えると，酸素が使われて，燃えた後は，酸素がなくなってしまうと思う。なぜなら…

石油や石炭を燃やすと二酸化炭素が出ると聞いたことがあるよ。だから…

ものが燃える前と後でちっ素は変化しないんだ。

計画

どのように調べればよいでしょうか。

→ 気体検知管の使い方は，210ページ。
石灰水の使い方は，211ページ。

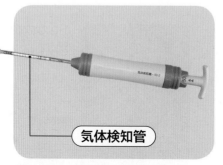

気体検知管

どれくらい酸素や二酸化炭素があるか調べることができる。

石灰水（せっかいすい）

二酸化炭素があるか調べることができる。二酸化炭素があると，白くにごる。

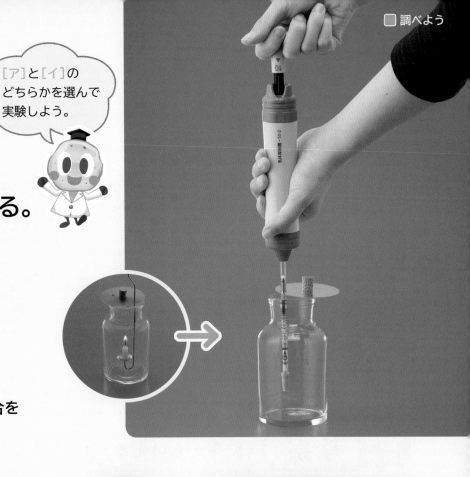

実験2

燃やす前と燃やした後の空気を
いろいろな方法で調べる。

［ア］と［イ］の
どちらかを選んで
実験しよう。

［ア］気体検知管で調べる。

1 ろうそくを燃やす前のびんで，
酸素と二酸化炭素の体積の
割合を気体検知管で調べる。

2 火のついたろうそくをびんに
入れ，ふたをする。

3 火が消えたらろうそくを出し，
酸素と二酸化炭素の体積の割合を
気体検知管で調べる。

［イ］石灰水で調べる。

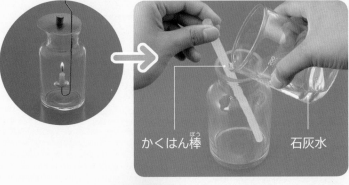

かくはん棒　　　　石灰水

1 石灰水をびんの中に入れ，ふたをして
ふり，石灰水に変化があるか調べる。

2 火のついたろうそくを
別のびんに入れ，ふたをする。

3 火が消えたらろうそくを出して
石灰水を入れ，ふたをしてふり，
石灰水に変化があるか調べる。

理科室のきまりは，
208 〜 209 ページ。
薬品のあつかい方は，
209 ページ。

 注意

● びんやふたが熱くなるので，
やけどをしないようにする。
● 酸素用検知管は熱くなるので，
冷めるまでさわってはいけない。
● 石灰水が目に入らないように，
保護めがねをかける。
● 石灰水が手などについたら，
水でよく洗う。

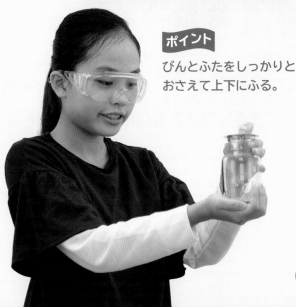

ポイント

びんとふたをしっかりと
おさえて上下にふる。

結果

［ア］気体検知管で調べたとき

燃やす前

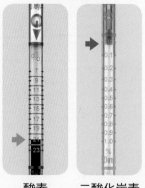 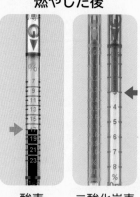

酸素	二酸化炭素
約 21 %	約 0.03 %

燃やした後

酸素	二酸化炭素
約 17 %	約 3 %

［イ］石灰水（せっかいすい）で調べたとき

燃やす前　　　　　　燃やした後

ろうそくを燃やした後の空気のほうが、石灰水が白くにごった。

考察

結果からいえることを話し合いましょう。

燃やした後の空気は、酸素が減って二酸化炭素が増えていたね。

酸素は全部使われるわけではないんだね。

結論

ろうそくなどのものが燃えると、

空気中の酸素が減り、二酸化炭素が増える。

ものが燃えても酸素は全部が使われるわけではないよ。

ものが燃えると、空気中の酸素の一部が使われて、二酸化炭素ができる。

[燃える前と後の空気中の酸素や
二酸化炭素などの体積の割合]

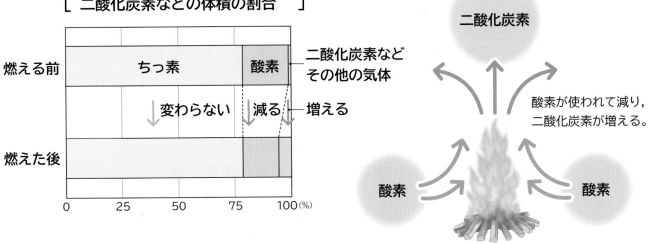

燃える前	ちっ素	酸素	二酸化炭素など その他の気体
	↓変わらない	↓減る	↓増える
燃えた後			

0　25　50　75　100(%)

二酸化炭素

酸素が使われて減り，
二酸化炭素が増える。

酸素　　酸素

TRY!
深めよう

燃やす前と後の空気の変化を
図に表してみよう!

　ろうそくを燃やす前と
燃やした後の空気の変化を
図に表して，燃えるしくみを
考えましょう。

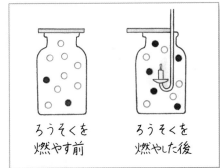

ろうそくを
燃やす前　　ろうそくを
　　　　　燃やした後

ろうそくを燃やし
たら，酸素が減って
二酸化炭素が
増えていたね。

酸素を○,
二酸化炭素を●で
表したよ。燃やす前と
後で○や●の数は…

酸素が
二酸化炭素に
変化すると
考えると…

TRY! 深めよう
木や紙が燃えたときの空気の変化を調べてみよう！

理科室のきまりは，
208 ～ 209 ページ。
薬品のあつかい方は，
209 ページ。

　　ろうそくが燃えると，空気中の酸素が減って，
二酸化炭素が増えました。木や紙などが
燃えたときも，ろうそくが燃えたときと
同じように，酸素が減って二酸化炭素が増えます。

① ものを燃やす前のびんの中の空気を，
気体検知管や石灰水を使って調べる。

② 木や紙などに火をつけてびんに入れ，
ふたをする。火が消えたら，
燃やしたものを出す。

燃やすもの

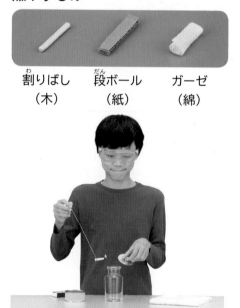

割りばし　　段ボール　　ガーゼ
（木）　　　（紙）　　　（綿）

木を燃やす前

酸素　　　　二酸化炭素
約21 ％　　 約0.03 ％

石灰水

木を燃やした後

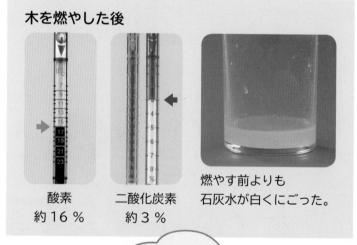

酸素　　　　二酸化炭素
約16 ％　　 約3 ％

燃やす前よりも
石灰水が白くにごった。

③ 燃やした後のびんの中の空気を，
気体検知管や石灰水を使って調べる。

注意

● びんやふたが熱くなるので，やけどをしないようにする。
● 酸素用検知管は熱くなるので，冷めるまでさわってはいけない。
● 石灰水が目に入らないように，保護めがねをかける。
● 石灰水が手などについたら，水でよく洗う。

酸素が減って
二酸化炭素が
増えているね。

昔からの鉄づくり

ろうそくをびんの中で燃やし続けるには，空気を送り続けなくてはいけないことを実験で確かめました。送り続ける空気の量を増やすと，空気中の酸素によって，ものが激しく燃えるようになります。それにより周りの温度はより高くなります。

この現象を利用した「たたらぶき」という製法で，日本では江戸時代のころまで，砂鉄から鉄をつくってきました。

「たたらぶき」で使う「ふいご」は，空気をたくさん送ることができます。「ふいご」のふみ板をふむことで，ろへ空気を送りこみ，木炭を勢いよく燃やして，ろの中を高温にします。そのろに砂鉄を入れると，鉄ができてきます。

鉄を得るためには，大きな「ふいご」を使って約3日間も空気を送り続けて，ひたすら温度を高くしなければなりませんでした。

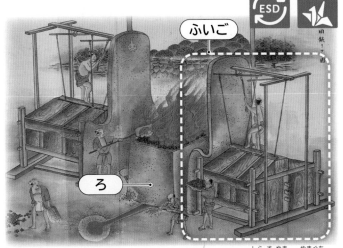

ふいご

ろ

江戸時代に行われていた
たたらぶきのようす

現在の白須山　山口県

たたらぶきで
得られた鉄

和鋼博物館　島根県 安来市

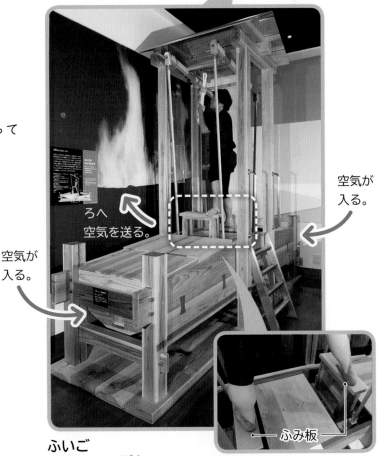

ろへ
空気を送る。

空気が
入る。

空気が
入る。

ふみ板

ふいご
島根県立古代出雲歴史博物館
島根県 出雲市

ふみ板を代わる代わるに
ふむと，ろへ空気が送られる。

ものを燃やす
私（わたし）たちの暮（く）らしと環境（かんきょう）

● 豊かな生活を支える燃料

　私たち人間は，大昔から
ずっとものを燃やしてきました。
暗い夜には明るくするために，
寒いときにはあたたかくする
ために，食事のときには
おいしく安全に食べるために，
暮らしの中のいろいろな場面で
ものを燃やしてきました。

大昔から火を使ってきた。

祭りなどでも，
火が使われてきた。　京都府（きょうと）京都市（きょうと）

ガス灯　　東京都（とうきょう）中央区（ちゅうおう）

　また，近年では，燃料を燃やして自動車や
飛行機などを動かしています。生活に欠かせない
電気も燃料を燃やしてつくり出しています。
宇宙（うちゅう）へ行くためにも燃料が必要です。
このように，人は燃料を燃やして豊かな生活を
送っているのです。
　ところが，石油や石炭，天然ガスなど
いろいろな燃料を，非常にたくさん燃やすように
なると，さまざまな問題が起こるようになって
きました。

移動や運ぱんのために，
たくさんの自動車や
飛行機などが使われて
いる。

宇宙への移動や
運ぱんのためにも
燃料が使われている。

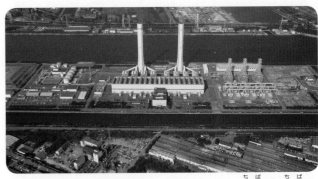

火力発電では，石油や石炭，天然ガスを　千葉県（ちば）千葉市（ちば）
燃やして，電気をつくり出している。

● 燃料を燃やして起こった問題（ロンドンのスモッグ）

　ものを燃やすと，すすや灰などをふくむ灰色や黒い色の
けむりが出ることがあります。このけむりときりが混ざり
合ったものはスモッグといわれ，人の体には悪いものです。

　イギリスの首都ロンドンは，きりがよく出る町として
知られています。そのロンドンではかつて，工場で燃料の
石炭をたくさん燃やし，家庭でも暖ぼうのために石炭を
燃やしていました。

　寒い冬には，ほかの季節より石炭の使用量が増え，けむりも
多くなります。そのため約70年前の冬に，スモッグが
原因で1万人以上の人々が病気になったり，なくなったり
しました。これは，多くの燃料を燃やしたために起こった
災害です。このようにものを燃やすことは，環境を変化させ，
人だけでなく，多くの生物に害をおよぼすことがあります。

　その後，ロンドンの人々は，使う石炭の量を減らしたり，
工場から出るけむりの量を減らすしくみを考えたりして，
災害を防いでいます。

約70年前のロンドン

現在のロンドン

● 環境を守るために

　私たちは燃料を燃やして便利な生活を送るだけでなく，
そのえいきょうを科学的に考えて，燃やす量を減らしたり，
燃やす方法をくふうしたりしなくてはなりません。

　そうして，私たち人や全ての生物が生き続けられる
環境を保つことが大切です。

工場から出るけむりから
有害なものをとり除く装置
茨城県 東海村

燃料電池自動車は水素という気体を燃料に
しており，空気をよごすガスを出さない。
宮城県 仙台市

もののの燃え方について、
学んだことを確かめましょう。

❶ 右の図のような実験をしたら、
ろうそくの火が消えました。

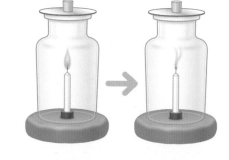

㋐ 下の言葉を使って、ろうそくを燃やす前と
火が消えた後で、びんの中の空気は
どのように変化したか説明しましょう。

| 空気 | 酸素 | 二酸化炭素 |

㋑ ろうそくが燃え続けるためには、
どのようにしたらよいでしょうか。
説明しましょう。

❷ 二酸化炭素が、びんの中にあるかどうかを
調べるには、どのような方法が
あるでしょうか。説明しましょう。

学んだことを
生かそう

学んだことを生かして、
問題にちょう戦してみましょう。

❶ キャンプファイアーでは、
木を㋐のように組み上げます。
なぜ㋑のようにではなく、
㋐のように組むのでしょうか。
その理由を説明しましょう。

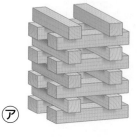

㋐

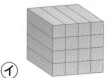

㋑

❷ たおれたアルコールランプの火を，ぬれたぞうきんを
　かぶせて消しました。火が消えた理由を
　酸素という言葉を使って説明しましょう。

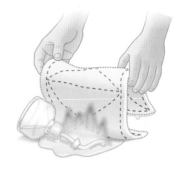

❸ 炭に火を近づけると赤くなりましたが，ほのおは
　出ませんでした。炭が燃えているとすると，
　どのような方法で確かめられるでしょうか。
　説明しましょう。

熱した炭

中学校で学ぶこと　発展

Science
WORLD
サイエンスワールド

燃える金属

　酸素を満たしたびんの中で，
ろうそくは激しく燃えました。
酸素がたくさんあると，
ものはよく燃えます。
　金属の燃え方を見てみましょう。
金属は，空気中で熱しても
なかなか燃えません。しかし，
例えばスチールウール（鉄）は，
酸素を満たしたびんの中では
よく燃えて，花火のように
光を激しく出します。

スチール
ウール

空気中

酸素中

スチールウール（鉄）

中学校２年「化学変化」で学ぶ内容です。

2 ○○○○

植物の成長と日光の関わり

植物は，日光がよく当たる場所では
くきがのび，葉が増えて，よく成長します。
　日光がよく当たった植物のようすを見て，
気づいたことを話し合いましょう。

5年 で学んだこと

- 種子の中にある
  デンプンで，植物は発芽する。
- 植物の成長には
  日光と肥料が関係している。

水と肥料をやり，
日光によく当てて
育てたインゲンマメ

水と肥料をやり，
日かげで育てた
インゲンマメ

ジャガイモの葉に
日光がよく当たって
いるね。

ジャガイモ畑　　長崎県 雲仙市

1枚の葉

上から見たジャガイモ

発芽と同じように，植物の成長にもデンプンが必要なのかな。

葉に日光が当たると，成長に必要なデンプンができるのかな。

植物の成長と日光の関係を見てみよう。

成長と日光の関わり

？ 問題 植物の葉に日光が当たると，葉にデンプンができるのだろうか。

📖 計画 どのように調べればよいでしょうか。

日光が当たった葉と当たっていない葉で比べるといいね。

葉にデンプンがあるかどうかは，ヨウ素液を使えば調べられるね。

実験の進め方

1日目午後 葉に日光が当たらないようにするため，アルミニウムはくをかぶせて一晩置く。

2日目朝 葉にデンプンがないことを㋐で確かめる。

日光を当てる。

4～5時間後 葉にデンプンがあるか調べる。

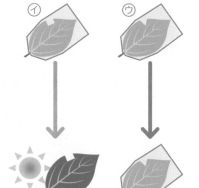
㋐　㋑　㋒
ヨウ素液

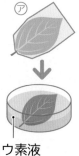

葉は，湯でにて，水で洗ってから，ヨウ素液に入れよう。

→ 理科室のきまりは，208～209ページ。実験用ガスこんろの使い方は，214ページ。

実験　日光と，葉にできる養分の関係を調べる。

1 午後，ジャガイモの葉にアルミニウムはくをくるむようにかぶせ，日光を当てないようにする。

2 次の日の朝，㋐は，アルミニウムはくを外し，やわらかくなるまで数分間にる。水で洗い，ヨウ素液につける。㋑は，アルミニウムはくを外し，日光に当てる。㋒は，そのままにしておく。

3 4 ～ 5 時間後，㋑と㋒をとり，㋐と同じようにデンプンがあるか調べる。

注意
- 湯や薬品が目に入らないように保護めがねをかける。
- 熱したものや使った器具は熱くなっているので，冷めるまでさわってはいけない。
- 薬品が手などについたら，水でよく洗う。

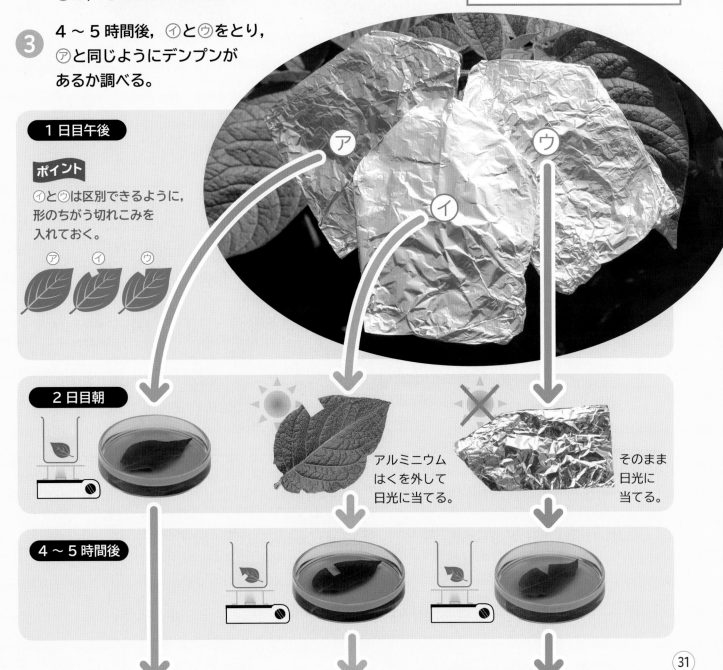

1 日目午後

ポイント
㋑と㋒は区別できるように，形のちがう切れこみを入れておく。

2 日目朝

アルミニウムはくを外して日光に当てる。

そのまま日光に当てる。

4 ～ 5 時間後

📖 **結果**

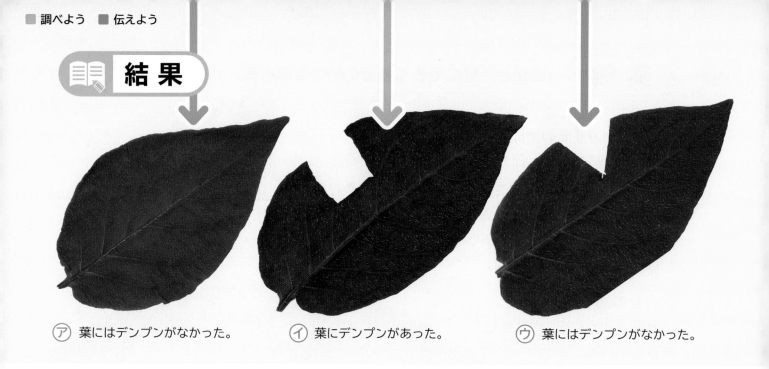

ⓐ 葉にはデンプンがなかった。　　ⓘ 葉にデンプンがあった。　　ⓤ 葉にはデンプンがなかった。

💬 **考察**　結果からいえることを話し合いましょう。

ⓘの結果から、葉に日光が当たるとデンプンができることが確かめられたね。

ⓐにはデンプンがなかったよ。昨日作られたデンプンは、どこへいったのかな。

新しい葉ができたりくきがのびたりするのに使われたのかな。

! **結論**

植物の葉に日光が当たると、葉にデンプン（養分）ができる。

葉にできた養分は、植物の成長に使われる。

葉にできたデンプンはどこへ行く？

Science WORLD サイエンスワールド

　葉に日光が当たるとデンプンができました。しかし，午後から葉に日光を当てなかったとき，次の日の朝には，デンプンはありませんでした。前日の午前中までにできていたデンプンは，どこにいってしまったのでしょうか。

　デンプンは，植物が成長するための養分として，植物の体全体に運ばれて使われています。しかし，デンプンは，そのままの形では植物の体の中を移動することができません。そのため，夜のうちに水にとける「糖」というものに変えられて，くきの中を通り，植物の体の各部へ運ばれるのです。糖は，体の各部に運ばれて成長のための養分として使われるほか，再びデンプンに変えられて，実や種子，いもなどにたくわえられたりします。

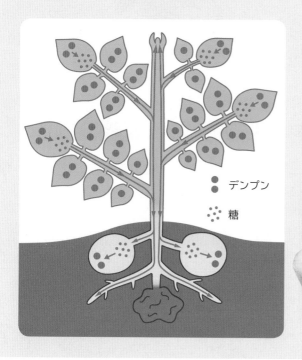

● デンプン

° 糖

デンプンのつぶ（100倍）

ジャガイモのいもの切り口にヨウ素液をかけると，青むらさき色に変化する。

確かめよう

植物の成長と日光の関わりについて，
学んだことを確かめましょう。

---

❶ （　　）に当てはまる言葉を入れましょう。

> 　植物の葉に，（　ア　）が当たるとデンプンができる。
> （　イ　）液は，デンプンがあると，色が変わる。

❷ アサガオの葉の一部にアルミニウムはくをかぶせました。
よく晴れた日の次の日に，葉にデンプンができているか
どうかを上の❶のイ液を使って調べました。

　実験の結果として，ウ〜オから当てはまるものを
選びましょう。また，選んだ理由を説明しましょう。

葉を湯でにる方法で調べた結果

ウ
葉の全体の
色が変わった。

エ
アルミニウムはくを
かぶせた部分は
色が変わらなかった。

オ
アルミニウムはくを
かぶせた部分の
色が変わった。

❸ 右のようにして，
ジャガイモの葉に
デンプンができるか
どうかを調べました。
かほさんは，なぜ⑰を
準備するのか疑問に
思っています。
かほさんに，⑰を
準備する理由を説明
しましょう。

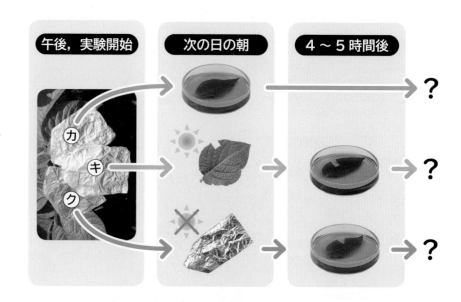

午後，実験開始　　次の日の朝　　4〜5時間後

カ
キ
ク

?
?
?

学んだことを生かして，
問題にちょう戦してみましょう。

❶ 近年，温度や水などを管理しながら，室内で
作物をさいばいする植物工場が増えています。
写真の植物工場では，人工の光を当てて，植物を
さいばいしています。
　この方法でも植物が育つのは，なぜでしょうか。
植物の成長に必要な養分のでき方から考えましょう。

ジャガイモの葉の デンプンをとり出そう

ジャガイモの葉にできたデンプンを下の方法でとり出すことができます。

ジャガイモの葉 50 g
水 200 mL

とり出した
デンプン

ジャガイモの葉を
水とともに
ミキサーに入れ，
約1分間回す。

ろ過し，ろ液に
200 mL の水を
入れて1日置く。

上ずみ液を静かに捨て，
底に残った
白いものをかわかす。

3

体のつくりと
はたらき

　激^{はげ}しく運動をすると，体にさまざまな変化が起こります。
かけあしをしたときにどのような変化が起こるか，
気づいたことを話し合いましょう。

息が速く
なったよ。

胸（むね）がどきどき
している。

息が速くなったのは，
体に空気をたくさん
とり入れている
からかな。

体に
とり入れられた
空気のゆくえを
見てみよう。

1 吸った空気のゆくえ

? 問題

人は，空気を吸ったりはいたりするとき，
何をとり入れ，何を出しているのだろうか。

予想

経験したことや学んだことから予想しましょう。

ものを燃やしたときは，
空気中の酸素が使われて
減り，二酸化炭素が
増えていたよ。

人が空気を吸ったり
はいたりするときも，
酸素を使って
二酸化炭素を出すのかな。

[ものを燃やす前と後の空気中の
酸素や二酸化炭素などの体積の割合]

燃やす前	ちっ素	酸素	二酸化炭素など その他の気体

↓変わらない　↓減る　↓増える

燃やした後

0　25　50　75　100(%)

計画

どのように調べればよいでしょうか。

空気中の酸素と
二酸化炭素の体積の割合の
変化は，気体検知管で
調べられるね。

二酸化炭素が
あるかどうかは，
石灰水を使うと
わかるよ。

→

理科室のきまりは，
208 ～ 209 ページ。
気体検知管の使い方は，
210 ページ。
石灰水の使い方は，
211 ページ。

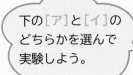 **実 験 1**　吸う空気とはいた空気のちがいを
いろいろな方法で調べる。

吸う空気とはいた空気を，それぞれ
ふくろいっぱいに集めて口を閉じる。

下の［ア］と［イ］の
どちらかを選んで
実験しよう。

吸う空気　　　　　　　はいた空気

ふくろ

［ア］気体検知管で調べる。

気体検知管で，それぞれの
ふくろの中の空気中の酸素と
二酸化炭素の体積の割合を調べる。

注意

酸素用検知管は
熱くなるので，冷めるまで
さわってはいけない。

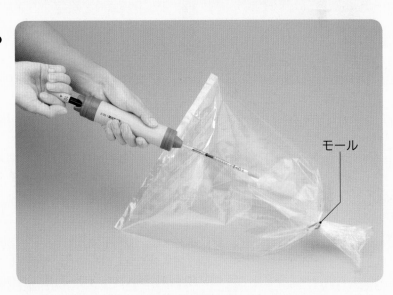

モール

［イ］石灰水で調べる。

それぞれのふくろの中に，
ふくろの口を手でおさえながら
石灰水を入れてふり，変化を見る。

注意

● 石灰水が目に入らないように，
　保護めがねをかける。
● 石灰水が手などについたら，
　水でよく洗う。

石灰水

ふる。

結 果

［ア］気体検知管で調べたとき

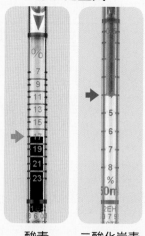

吸う空気　　　　　　　　　はいた空気

| 酸素 | 二酸化炭素 | 酸素 | 二酸化炭素 |
| 約21％ | 約0.03％ | 約17％ | 約4％ |

［イ］石灰水で調べたとき

吸う空気　　　　　　　はいた空気

はいた空気を集めたとき，ふくろの内側に水てきがついてくもっていたよ。

考 察

結果からいえることを話し合いましょう。

はいた空気は，酸素が減って二酸化炭素が増えていたから，体に酸素がとり入れられて二酸化炭素が出されたんだね。

酸素はなくなってはいないから，全て使われたわけではないんだね。

結 論

このとき，体の中ではどのようなことが行われているのか，見てみよう。

人は，空気を吸ったりはいたりするとき，

酸素の一部をとり入れて，二酸化炭素を出している。

はいた空気には，水（水蒸気）もふくまれている。

? 問題

人は，体の中のどこで，どのように，酸素と二酸化炭素を出し入れするのだろうか。

予想

空気を吸ったりはいたりするときに動く，体の部分から予想しましょう。

たくさん息をすると，胸が広がったようになるよ。

ここで酸素や二酸化炭素が出し入れされるんじゃないかな。

図かんなどで調べてみよう。

調べる 1

酸素と二酸化炭素を出し入れするしくみをいろいろな方法で調べる。

酸素や二酸化炭素が，体のどこでどのようなしくみで出し入れされているか，本やコンピュータなどで調べる。

調べよう　■伝えよう

結 果

人は，鼻や口から空気を吸う。吸った空気は，気管を通って肺に入る。人は，肺で空気中の酸素をとり入れ，二酸化炭素を出している。

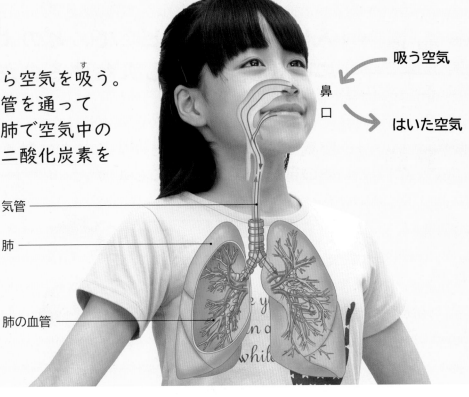

吸う空気

鼻
口

はいた空気

気管
肺
肺の血管

考 察

結果からいえることを話し合いましょう。

肺は，酸素と二酸化炭素を交かんする場所なんだね。

肺には，血管がたくさんあるね。酸素は肺からどこへ行くのかな。

結 論

　人は，肺で酸素をとり入れて，二酸化炭素を出している。肺からとり入れられた酸素は，肺の血管から血液中にとり入れられる。また，血液中の二酸化炭素は，はく空気の中に出される。

　酸素を体にとり入れ，二酸化炭素を出すことを**呼吸**という。

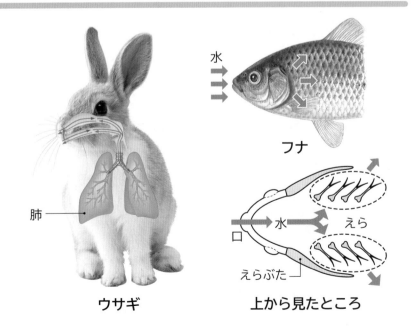

右の肺　　　左の肺

Science WORLD
サイエンスワールド

肺のつくり

中学校で学ぶこと　発展

　気管は枝分かれしてだんだん細くなり，その先はたくさんの小さなふくろになっています。この小さなふくろを肺ほうといいます。肺ほうでとり入れた空気中の酸素は，肺ほうをとりまく細い血管から血液に入り，血液で運ばれてきた二酸化炭素と交かんされます。

　肺ほうの1つの大きさは，とても小さいですが，全ての肺ほうを広げると大きな面積になります。空気とふれる面積が大きくなるので，酸素と二酸化炭素の交かんを効率よく行うことができます。

吸った空気
酸素が多い血液
はき出す空気
二酸化炭素が多い血液
枝分かれした気管
肺ほう

二酸化炭素　酸素
二酸化炭素が多い血液
酸素が多い血液
はき出す空気　吸った空気

中学校2年「動物の体のつくりとはたらき」で学ぶ内容です。

資料
りかのたまてばこ

いろいろな動物の呼吸

　ウサギなどの動物は，人と同じように肺で呼吸をしています。

　一方，水にすむ魚は，えらという部分を使って呼吸をしています。水には酸素がとけていて，酸素の一部がえらの血管から血液中にとり入れられ，血液中の二酸化炭素がえらから水といっしょに水中に出されています。

肺

ウサギ

水
フナ

口　水　えら
えらぶた
上から見たところ

2 血液にとり入れられた酸素のゆくえ

問題 酸素は，どのようなしくみで，体のどこへ運ばれるのだろうか。

予想 呼吸のしくみで学んだことから予想しましょう。

酸素は，血液の流れによって，全身に運ばれていくと思う。

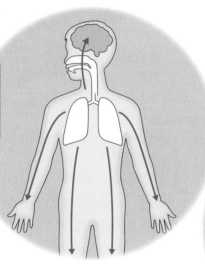

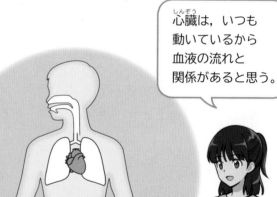

心臓は，いつも動いているから血液の流れと関係があると思う。

計画 どのように調べればよいでしょうか。

図かんで，血液が運ぶものを調べられるかな。

心臓の動きと血液の流れが関係あるか，調べてみたい。

心臓の動きを**はく動**といい，
それによって起こる血管の動きを
脈はくといいます。

実 験 2

**酸素が体の中を運ばれるしくみを
いろいろな方法で調べる。**

① 胸にちょうしん器を当てて，
　１分間のはく動数を調べる。

② 手首や首筋などを
　指でおさえて，１分間の
　脈はく数を調べる。

③ はく動数と
　脈はく数を比べる。

④ 血液の流れるしくみや，血液中の
　酸素のゆくえについて，本や
　コンピュータなどで調べる。

結 果

　血液は，心臓のはく動によって，
全身の血管を流れていく。
　血管は，体のすみずみにあみの目のように
張りめぐらされ，血液を全身に運んでいる。
　肺で血液にとり入れられた酸素も，
全身に運ばれる。

血液の流れには，心臓から
肺を通ってもどる流れと，
心臓から全身を回ってもどる
流れの2通りの流れがあるよ。

肺

心臓

全身の
部分

二酸化炭素の
多い血液が
流れている血管

酸素の
多い血液が
流れている血管

考 察

結果からいえることを
話し合いましょう。

心臓が，血液に
とり入れられた
酸素を全身に
運んでいたんだね。

36，37ページのかけあしで
息やはく動が速くなったのは，
酸素をいつもより多く
運ぶためだったんだ。

体がいつもより
多くの酸素を必要と
していたんだね。

結論

肺で血液中にとり入れられた酸素は，血液によって心臓に送られ，

血液によって全身に運ばれる。また，血液中の二酸化炭素も，

血液によって心臓に送られ，さらに血液によって肺に運ばれる。

血液が全身をめぐることを，血液のじゅんかんという。

 Science WORLD サイエンスワールド

中学校で学ぶこと 発展

心臓の役割

筋肉が縮んだりゆるんだりすることによって体が動かせることを，4年で学びました。

心臓も筋肉でできていて，自分のにぎりこぶしと同じ程度の大きさをしています。心臓には，血液を送り出すポンプのような役割があり，一定のリズムで縮んだりゆるんだりすることで，血液を全身にじゅんかんさせています。

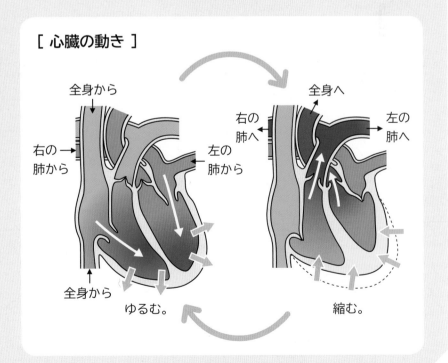

[心臓の動き]

全身から
右の肺から
左の肺から
全身から
ゆるむ。
全身へ
右の肺へ
左の肺へ
縮む。

中学校2年「動物の体のつくりとはたらき」で学ぶ内容です。

――3 食べたもののゆくえ

🔭 問題を見つける

人は，体に酸素をとり入れる
だけでなく，食べものから
養分や水をとり入れています。

> ご飯をかんでいると，
> あまく感じるように
> なるのは，
> どうしてかな。

> だ液を出して
> いることと，
> 関係があるんじゃ
> ないかな。

❓ 問 題　ご飯は，口の中でだ液と混ざると，どうなるのだろうか。

💭 予 想　経験したことや学んだことから予想しましょう。

> ご飯の中には，
> デンプンが多く
> ふくまれていたね。

ヨウ素液

> デンプンは変化して
> なくなると思う。
> ヨウ素液を使えば
> 調べられるね。

実験3　デンプンとだ液のはたらきの関係を調べる。

1 2つのふくろに,
ご飯を1つぶずつ入れて,
ふくろの上から指でつぶす。

2 ストローを使って,
一方のふくろにだ液を入れる。
もう一方には, だ液と
同じくらいの量の水を入れる。
ふくろの上から指でよくもむ。

3 湯を入れたビーカーに, 2つの
ふくろを入れて, 約3分間待つ。
ふくろを湯からとり出し,
ふくろの上から指でよくもむ。
ふたたび湯に入れて, 約3分待つ。

ポイント ふくろの中が体温と同じ程度
（約36℃）になるように,
それより少し熱め（約40℃）の
湯を使う。

4 2つのふくろを湯からとり出し,
それぞれヨウ素液を1, 2てきずつ
加えて, 色の変化を比べる。

注意 ヨウ素液が手などについたら,
水でよく洗う。

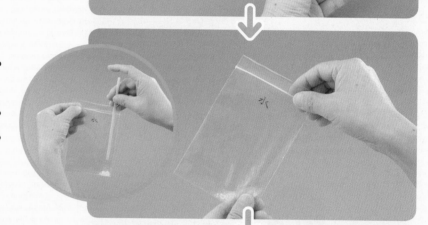
ジッパーつきのふくろ

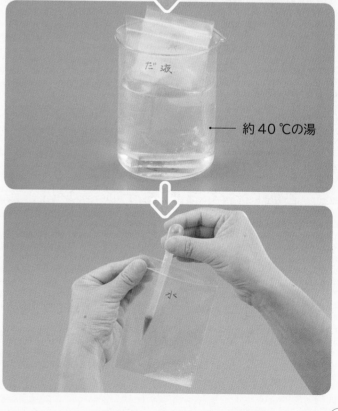
約40℃の湯

 結果

ご飯にだ液を加えたもの　　　　ご飯に水を加えたもの

 考察　結果からいえることを話し合いましょう。

> だ液を加えたものは
> デンプンがなくなって
> いるから，別のものに
> 変わったんだね。

> 食べものは，口の中で
> 変化してから，体に
> とり入れられるんだね。
> その後は，どうなるのかな。

 結論

> 食べものは，
> 消化された後
> どのようになるか
> 見てみよう。

ご飯にふくまれるデンプンは，口の中でだ液と
混ざって，デンプンではない別のものに変化する。

　食べものが歯でかみくだかれて細かくなったり，だ液のはたらきで
変化したりして，体に吸収されやすい養分に変化することを**消化**という。
また，だ液のように消化に関わるはたらきをする液を**消化液**という。

❓ 問 題　食べものは，体の中でどのように消化され，吸収されて運ばれるのだろうか。

💭 予 想　経験したことや学んだことから予想しましょう。

消化は，胃でも行われるね。

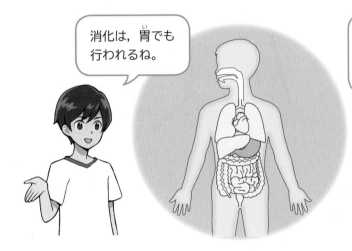

消化された養分は，酸素などと同じように血液で運ばれるのかな。

どこで血液にとり入れられるんだろう。

📖 調べる 2　消化と吸収のしくみをいろいろな方法で調べる。

下のようなことを本やコンピュータなどで調べる。

- 食べものは，口から入って，体のどこを通るか。

- 口（だ液）のほかにも，消化するところがあるか。

- 養分は，どこで体に吸収され，どこへ運ばれるか。

- 吸収されなかったものは，どうなるか。

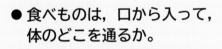

結 果

　口から始まって，食道，**胃，小腸，大腸**を通ってこう門に終わる食べものの通り道を**消化管**という。消化管では，消化に必要なだ液，胃液，腸液などの消化液が出される。

　消化された養分は，水分とともに小腸の血管から血液中に吸収される。

　養分も，酸素や二酸化炭素と同じように，血液によって全身に運ばれる。

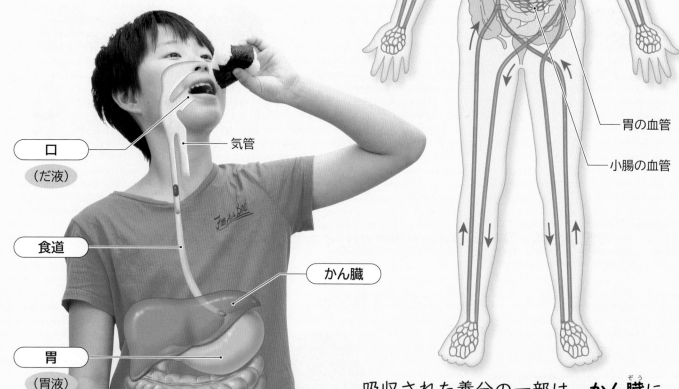

肺の血管
かん臓の血管
胃の血管
小腸の血管

口
（だ液）
気管
食道
かん臓
胃
（胃液）
小腸
（腸液）
大腸
こう門

　吸収された養分の一部は，**かん臓**にたくわえられ，必要なときに使われる。
　吸収されなかったものは大腸に運ばれ，便として体の外に出される。また，血液中で不要になったものは，**じん臓**でこし出され，余分な水分とともに尿となって，一度**ぼうこう**にためられてから，体の外に出される。

　消化が行われる胃や小腸，呼吸が行われる肺などのことを
臓器（ぞうき）という。それぞれの臓器のはたらきで，命が保たれている。
臓器は，体の中でたがいに関わり合ってはたらいている。

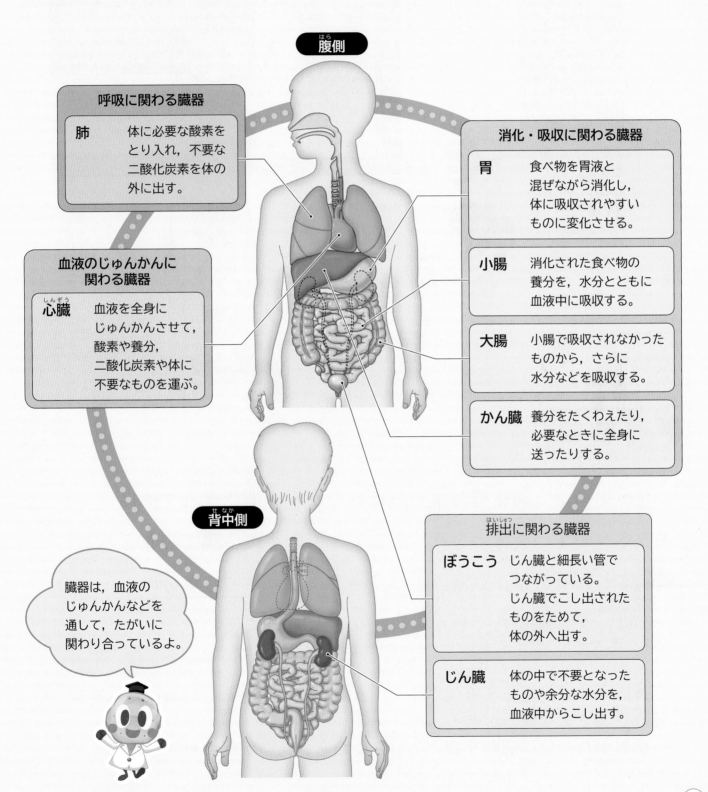

呼吸に関わる臓器

肺　体に必要な酸素をとり入れ，不要な二酸化炭素を体の外に出す。

消化・吸収に関わる臓器

胃　食べ物を胃液と混ぜながら消化し，体に吸収されやすいものに変化させる。

小腸　消化された食べ物の養分を，水分とともに血液中に吸収する。

大腸　小腸で吸収されなかったものから，さらに水分などを吸収する。

かん臓　養分をたくわえたり，必要なときに全身に送ったりする。

血液のじゅんかんに関わる臓器

心臓（しんぞう）　血液を全身にじゅんかんさせて，酸素や養分，二酸化炭素や体に不要なものを運ぶ。

腹側（はら）

背中側（せなか）

臓器は，血液のじゅんかんなどを通して，たがいに関わり合っているよ。

排出に関わる臓器（はいしゅつ）

ぼうこう　じん臓と細長い管でつながっている。じん臓でこし出されたものをためて，体の外へ出す。

じん臓　体の中で不要となったものや余分な水分を，血液中からこし出す。

■ 伝えよう

考察　結果からいえることを話し合いましょう。

!　結論

食べものは，消化管の中を運ばれながら，消化されて体に
吸収されやすい養分となり，水分とともに主に小腸で吸収される。

吸収された養分は，血液によって全身に運ばれる。養分の
一部は，かん臓にたくわえられ，必要なときに使われる。

　体の中には，消化・吸収や呼吸，血液のじゅんかんなどのはたらきを
行うさまざまな臓器がある。
　臓器がたがいに関わり合いながらはたらき，命が保たれている。

Science WORLD
サイエンスワールド

養分のゆくえ

● かん臓に運ばれる養分

人のかん臓は，大人で 1000 〜 1500 g の重さが
あり，とても大きい臓器です。かん臓には，心臓から
送られた血液の約 25 ％が流れこみ，運ばれてきた
養分をたくわえたり，必要な養分を全身に
送り出したりしています。

かん臓は，ほかにも重要なはたらきをしています。
例えば，お酒に入っているアルコールなどの有害な
ものを，無害なものに分解します。また，小腸での
消化を助ける「たん汁」という液をつくります。

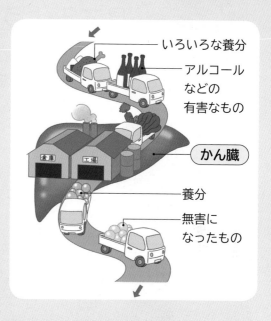

- いろいろな養分
- アルコールなどの有害なもの
- かん臓
- 養分
- 無害になったもの

● 養分からとり出されるエネルギー

私たちの体は，細胞というとても小さなものが
たくさん集まってできています。細胞は，大人
1 人の体に約 37 兆個あるといわれています。
細胞は，皮ふや臓器，骨など，体全体を形づくって
います。

体を動かすためには，エネルギーが必要です。
私たちは，エネルギーを得るために，食べものを
食べます。食べものは消化された後，養分として
体の中に吸収されます。養分や，呼吸によって
とり入れられた酸素は，血液を通して全身の細胞に
運ばれます。細胞では，酸素を使って養分から
エネルギーがとり出されます。このエネルギーを
使って，私たちは活動をすることができます。

細胞で養分からエネルギーがとり出されるとき，
二酸化炭素や体に不要なものができます。これらも
血液によって運ばれ，肺やじん臓などを通って
排出されます。

ご飯を食べる。

酸素

二酸化炭素や体に不要なもの

養分

細胞

エネルギーがとり出される。

TRY! 深めよう

動物の血液の流れを見てみよう！

メダカのおびれをけんび鏡で観察すると，
血液の流れを見ることができます。

水でぬらした
ティッシュペーパー

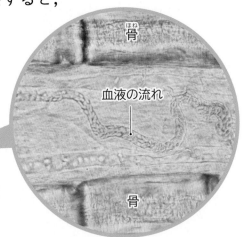

骨

血液の流れ

骨

メダカのおびれ（200倍）

注意 生きものをさわる前と
さわった後には，手を洗う。

ウサギの耳を光にすかすと，すみずみまで
血管がいきわたっていることがよくわかります。
体にある血管は，太いものから細いものまで
あり，酸素や養分などを運ぶために，
体のすみずみまで張りめぐらされています。

メダカや
ウサギの体にも，
すみずみまで血液が
流れているんだね。

ウサギの耳は，光にすかすと
血管がよく見える。

ウサギ

りかの たまてばこ

いろいろな動物の消化管

人以外の動物の体の中でも，
口から入った食べものが
消化管を通るうちに
消化・吸収され，
いらなくなったものが
ふん（便）として
こう門から出されます。

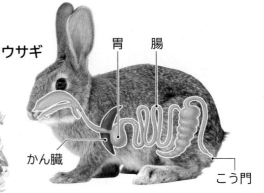

ウサギ

胃　腸

かん臓

こう門

ニワトリ

かん臓

胃　腸　こう門

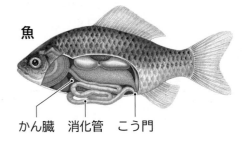

魚

かん臓　消化管　こう門

Science WORLD サイエンスワールド

消化管の長さ

中学校で学ぶこと　発展

　動物の消化管は，体長の数倍〜
数十倍の長さがあります。消化管は，
何回も折りたたまれ，体の中の
限られた空間に収められています。
　消化管はどの動物にもありますが，
長さはそれぞれちがいます。ふつう，
植物を食べる動物のほうが，動物を
食べる動物より長くなります。
それは，植物には消化しにくいものが
多くふくまれるため，時間をかけて
消化しなければならないからです。
　このように，動物の消化管の
長さは，それぞれの動物の食べもの
などと関係しています。

ライオン
動物を食べる。
体長の約4倍

ウシ
植物を食べる。
体長の22〜29倍

人
動物も植物も食べる。
体長（身長）の約6.2倍

中学校2年「動物の体のつくりとはたらき」で学ぶ内容です。

確かめよう ▶ **体のつくりとはたらきについて，
学んだことを確かめましょう。**

❶（　　　）に当てはまる言葉を入れましょう。

　　食べものを体に吸収されやすい養分に変化させることを（　　　　）といい，
　ロからこう門までの食べものの通り道のことを（　　　　）という。
　この通り道は，ロ→食道→（　　　）→（　　　　）→（　　　　）→こう門とつながっている。

❷ 人が吸う空気とはく空気にちがいが
　あるかどうかを調べるには，
　どのような方法があるでしょうか。

❸ 右の図の中にある㋐〜㋖の臓器の
　名前はそれぞれ何というでしょうか。
　また，それぞれの臓器のはたらきを
　説明しているのは，下のＡ〜Ｇの
　それぞれどれでしょうか。

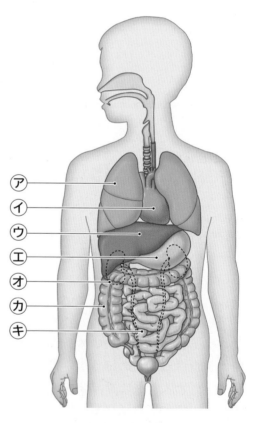

　Ａ． 体に必要な酸素をとり入れ，
　　　不要な二酸化炭素を体の外に出す。
　Ｂ． 消化された食べものの養分を，
　　　水分とともに，血液中に吸収する。
　Ｃ． 食べものを胃液と混ぜながら消化し，
　　　体に吸収されやすい養分に変化させる。
　Ｄ． 小腸で吸収されなかったものから，さらに水分などを吸収する。
　Ｅ． 体の中で不要になったものや余分な水分を，血液中からこし出す。
　Ｆ． 血液を全身にじゅんかんさせて，酸素や養分，二酸化炭素や体に
　　　不要なものを運ぶ。
　Ｇ． 養分をたくわえたり，その養分を必要なときに全身に運んだりする。

❹ ジェーンさんは，体育の時間に 50 m を走りました。
走り終わった後，呼吸^{こきゅう}の回数が増えて，心臓^{しんぞう}のはく動数も
増えました。なぜ，呼吸の回数とはく動数が同じように
増えたのかを説明しましょう。

学んだことを
生かそう

**学んだことを生かして，
問題にちょう戦してみましょう。**

❶ ある日，しょうさんは友達と自分の部屋で
遊んでいました。しばらくして，部屋に
入ってきたお母さんが，「窓^{まど}を開けて
空気を入れかえなさい。」と言いました。
　なぜ，お母さんはそのようなことを言った
のでしょうか。部屋をずっと閉め切^しったまま
でいたら，どのようなことが心配されるか，
考えましょう。

❷ クジラは，ふだんは海の中で生活していますが，
呼吸のために，海面に出てくることがあります。
一方，マグロはいつも海の中で
生活していて，呼吸のために
海面に出てくることはありません。
それはなぜでしょうか。
自分の考えを説明しましょう。

海面に出て呼吸する。

マグロ

クジラ

4 植物の成長と水の関わり

ホウセンカが
まっすぐ立ったよ。
葉もしっかり
広がったね。

水が，体のすみずみまで
いきわたったんだね。
水はどのようにして
葉まで運ばれたのかな。

しおれたはち植えの植物に，十分に水を
あたえてしばらくすると，元にもどります。
　植物に水をあたえたときのようすについて，
気づいたことを話し合いましょう。

植物の体に
とり入れられた
水のゆくえを
見てみよう。

61

成長と水の関わり

？ 問題 根からとり入れた水は，植物の体のどこを通って，体全体にいきわたるのだろうか。

予想 これまでに経験したことから水の通り道を予想しましょう。

くきの先を切ったら，切り口から水が出てきたよ。くきが水の通り道だと思う。

しおれた植物に水をあたえたら，全てのくきと葉が，同じように立って広がっていったね。

どのくきと葉にも同じような通り道があって，体全体に水がいきわたるのかな。

計画 どのように調べればよいでしょうか。

水に色をつけたら，水がどこを通るか見ることができるかな。

植物染色液（せんしょくえき）

実験 1　植物の体のつくりと水の通り道の関係を調べる。

① ホウセンカをほり上げて根を洗う。

② 植物染色液を三角フラスコに入れ，ホウセンカを入れて，根を水にひたす。三角フラスコの水面の位置に，印をつける。

③ 葉やくきの色，水面の位置が変化していくようすを観察する。

④ 色が変化した根やくき，葉を縦や横に切って，切り口のようすを観察する。

注意
カッターナイフでけがをしないようにする。

だっし綿

だっし綿はくきを固定し，水の蒸発をおさえるために使うよ。

初めの水面の位置

結 果

葉のつけ根の
断面

葉の断面

横に切った
くきの断面

縦に切った
くきの断面

根の断面

考察　結果からいえることを話し合いましょう。

青く染まった
ところが
水の通り道だね。

予想どおり，くきだけ
ではなく，水の通り道は
体全体にいきわたって
いるね。

結 論

根からとり入れた水は，根やくき，葉などにある水の

通り道を通って運ばれ，植物の体のすみずみまでいきわたる。

? 問題

水は，葉までいきわたった後，
どうなるのだろうか。

予想

水の通り道を調べた結果から
予想しましょう。

葉は全体が青く
染まっているね。
水はここから
出てくるのかな。

葉があるときと
葉がないときで，
出ていく水の量にちがいが
あるか調べてみよう。

実験2

**葉から水が出ていくか
条件を整えて調べる。**

環境

① 晴れた日の朝，葉をつけたままのホウセンカと，
葉をとり去ったホウセンカに，それぞれ
ふくろをかぶせて，ふくろの口をモールで閉じる。

② しばらく置いてから，ふくろの中のようすを調べる。

● モールでふくろの口を閉じる
ときに，くきを折ったり
傷をつけたりしないように，
ていねいに行う。
● 実験が終わったらふくろを
外す。

ふくろ

モール

📖 **結　果**

葉をつけたままの
ホウセンカ

葉をとり去った
ホウセンカ

ふくろの内側にたくさん
水てきがついた。

ふくろの内側に少しだけ
水てきがついた。

💬 **考察**　結果からいえることを話し合いましょう。

水は葉から
空気中に
出ていくんだね。

葉から水が
出てくるところは
見られなかったよ。
水蒸気として出て
いたのかな。

葉には水の
出口になる部分が
あるはずだね。

❗ **結　論**

葉までいきわたった水は，主に葉から水蒸気として出ていく。

水が水蒸気となって，植物の体から出ていくことを**蒸散**という。

？ 問 題 　水は，葉のどこから水蒸気として出ていくのだろうか。

予 想

これまでに学んだことから水の出口のつくりを予想しましょう。

> 水の通り道は葉の表面にいきわたっていたから，表面に水の出口があると思う。

> 水の出口は，とても小さいんじゃないかな。

観 察 　葉の表面のつくりと水の出口の関係を調べる。

① ホウセンカの葉をねじるようにして切り，葉の裏側の表面のうすい皮をはがす。うすい皮の部分をはさみで切りとる。

② 切りとった皮のプレパラートを作り，けんび鏡で観察する。

注意
目をいためるので，直射日光の当たらない明るいところに置いて使う。

→ けんび鏡の使い方は，212ページ。

うすい皮

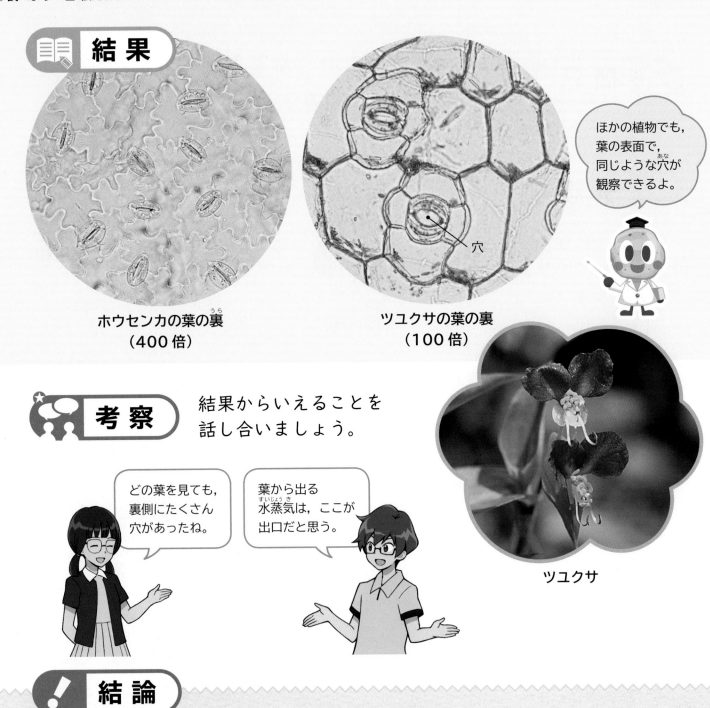

■調べよう ■伝えよう

結果

ホウセンカの葉の裏（400倍）

ツユクサの葉の裏（100倍）

ほかの植物でも，葉の表面で，同じような穴が観察できるよ。

穴

ツユクサ

考察 結果からいえることを話し合いましょう。

どの葉を見ても，裏側にたくさん穴があったね。

葉から出る水蒸気は，ここが出口だと思う。

結論

水は，葉の表面にある小さな穴から水蒸気として出ていく。

葉の表面にたくさんある小さな穴を**気孔**という。蒸散は，主に気孔を通して行われる。

蒸散の利用

水には，蒸発するときに周りから熱をうばう性質があります。暑い日に打ち水をすると，地面から熱がうばわれるので，すずしく感じます。植物の体から水が蒸散するときにも，葉やその周りの熱をうばうので，植物の体の中が高温になるのを防ぎ，植物が多く生えているところではほかのところよりすずしく感じます。

ツルレイシやヘチマ，アサガオなど，くきが何かにからまってのびていく植物を窓辺でさいばいすると，植物が支柱に沿ってカーテンのように広がって育ち，窓から入る日差しを防ぎ，室内の温度が上がるのをおさえることができます。また，蒸散による効果で外から部屋に伝わる熱を減らすこともできます。

このようにしたものを「緑のカーテン」などと呼んで，窓辺などに設置する活動が各地で行われています。

山中小学校の緑のカーテン　　　　　　　　　　東京都 品川区

植物の成長と水の関わりについて，
学んだことを確かめましょう。

❶（　　　）に当てはまる言葉を入れましょう。

　　植物が（　　　）からとり入れた水は，（　　　）や（　　　）にある
水の通り道を通って運ばれ，体のすみずみまでいきわたる。
　　植物の体にとり入れられた水は，（　　　）から水蒸気として出ていく。
このことを（　　　）という。
　　葉の表面をけんび鏡で観察すると，小さな穴がたくさんある。
この穴を（　　　）という。

❷ 晴れた日に，ホウセンカにふくろを
かぶせました。しばらくしてから
ふくろについていた水てきを集めると，
㋐のふくろには 40 mL，㋑のふくろには
5 mL でした。この結果からどのような
ことがいえるでしょうか。自分の考えを
説明しましょう。

㋐葉をつけたままの　　㋑葉をとり去った
　ホウセンカ　　　　　　ホウセンカ

学んだことを生かして，
問題にちょう戦してみましょう。

❶ 2年生が，育てているアサガオに水やりをして
いました。きりふきでアサガオの葉に水をかけて，
「元気になあれ。」と言っていました。アサガオが水を
とり入れやすくするためには，どのように水やりを
したほうがよいでしょうか。説明しましょう。

❷ 植物を育てるときに使う固体の肥料には，
成長に必要なものが入っています。肥料に
ふくまれているものは，水にとけやすい
性質です。それはなぜでしょうか。
自分の考えを説明しましょう。

水

肥料

❸ 白いバラの花を色水につけると，色がつきます。
右の写真のようになったバラの花を作るには，
どのように色水につけるとよいでしょうか。
くきの中の水の通り道の特ちょうをもとにして，
自分の考えを説明しましょう。

資料
りかの
たまてばこ

いろいろな植物の
水の通り道を調べよう

ホウセンカの体の中の水の通り道を調べました。
他の植物ではどうでしょうか。
ホウセンカと同じようにして調べてみましょう。

ホウセンカ
のくき

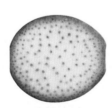
トウモロコシ
のくき

ジャガイモ
のくき

ヒメジョオン
のくき

色水につけたトウモロコシ

5... 生物どうしの関わり

人もほかの動物も，生きていくためにほかの生物を食べています。
いろいろな動物が，それぞれどのような生物を食べているか考え，気づいたことを話し合いましょう。

人は，いろいろな植物や動物の肉を食べているね。

キャベツの葉を食べる
モンシロチョウの幼虫

モンシロチョウを
食べるカマキリ

ダイコンの
葉を食べる
ウサギ

えさを食べるメダカ

これまで見てきた
動物も，植物や，
ほかの動物を
食べていたよ。

メダカにはえさを
あたえているけど，
池のメダカは，何を
食べているのかな。

食べものを通した
生物どうしの
関わりを見てみよう。

1 食べものを通した生物どうしの関わり

池にすむメダカは何を食べているのか
調べましょう。

[メダカの食べものを調べよう]

1 池の水をビーカーに入れる。
すくいあみで池の水をすくい，
すくったものをあみを裏返して
ビーカーの水の中に入れる。
これを何回かくり返す。

2 ビーカーの中で動いているものや
底にしずんでいるものを
スポイトでとり，プレパラートを作って
けんび鏡で観察する。

スライドガラス

うすいシリコンゴム板に
パンチで穴を開けたもの

左の図のようにした
スライドガラスや，
ホールスライドガラス
などを使おう。

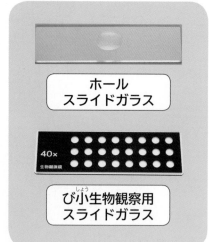

ホール
スライドガラス

40×
生物顕微鏡

び小生物観察用
スライドガラス

 けんび鏡の
使い方は，
212 ページ。

3 水を入れた別のビーカーにメダカを入れ，
2 で見つけた小さな生物を入れて，
メダカがそれらを食べるか調べる。

注意
池や小川などへは,
大人といっしょに行く。

東京都 荒川区

注意
目をいためるので,
直射日光の当たらない
明るいところに置いて使う。

池の中の水（40 倍）

池の水には，小さな生物がいて，池にすむ
メダカなどの食べものになっています。

ミジンコを食べるメダカ

[池や小川などにいる小さな生物]

ミジンコ
（15倍）

ワムシ
（40倍）

ケンミジンコ
（40倍）

クチビルケイソウ
（100倍）

アオミドロ
（100倍）

ボルボックス
（100倍）

ゾウリムシ
（100倍）

ミカヅキモ
（100倍）

ミドリムシ
（200倍）

イカダモ
（400倍）

クンショウモ
（400倍）

自然の中で，動物は食べたり
食べられたりしているんだね。
メダカを食べる
動物もいるのかな。

76

❓ 問 題 — 生物は，食べものを通してどのように関わり合っているのだろうか。

💭 予 想 — メダカや人の食べものから予想しましょう。

サバ ← イワシ ← オキアミ ← 海の中の小さな生物

ご飯 ← イネ

ニワトリ ← トウモロコシなどのえさ

人の食べものの元を順にたどると…

生物は，食べたり，食べられたりして，1本の線のようにつながっていくのかな。

📖 調べる 1 — 食べものから生物どうしの関係を調べる。

動物をいくつか決めて，その動物が食べているものを本やコンピュータなどで調べ，食べものの元までたどる。

📖 結果

・ヘビ ← カエル ← モンシロチョウの幼虫
　　← キャベツ
・イカ ← イソカサゴ ← オキアミ
　　← 海の中の小さな生物
・サギ ← ザリガニ ← メダカ ← ミジンコ
　　← 池や川の中の小さな生物

シマヘビ

イカ

動物を分けると，植物だけを食べる草食動物，動物だけを食べる肉食動物，両方食べる雑食動物になるよ。

サギ

アメリカザリガニ

💬 考察　結果からいえることを話し合いましょう。

どんな動物でも，ほかの生物を食べて生きている。

植物は，日光が当たると養分ができるんだったね。

動物には養分ができないから，その代わりにほかの生物を食べるんだね。

アマガエル　モンシロチョウの幼虫　キャベツ

イソカサゴ　オキアミ　海の中の小さな生物

メダカ　ミジンコ　池や川の中の小さな生物

! 結論

植物を食べる動物，また，その動物を食べる動物がいて，

生物は「食べる・食べられる」という関係でつながっている。

　動物の食べものの元をたどっていくと，日光が当たると
養分ができる植物にたどり着く。
　植物を出発点とした，「食べる・食べられる」という関係で1本の
線のようになっている生物の間のつながりを**食物連鎖**という。

2 空気を通した生物どうしの関わり

🔭 問題を見つける

酸素　→　二酸化炭素

動物は，呼吸をして酸素をとり入れ，
二酸化炭素を出します。
空気を通した生物どうしの
関わりを考えてみましょう。

> 動物は酸素を
> とり入れるけど，
> 植物は
> どうなのだろう。

❓ 問題 — 植物は，空気とどのように関わっているのだろうか。

💭 予想　これまで学んできたことから予想しましょう。

> ものが燃えるときも，
> 酸素が使われて，
> 二酸化炭素が
> 出されるんだったね。

酸素　→　二酸化炭素

> 酸素が空気中から
> なくならないのは，植物と
> 関係があるのかな。

📖 計画　植物が出し入れする気体は，どのように調べればよいでしょうか。

> 植物が，空気中の酸素や
> 二酸化炭素を出し入れするか
> 調べたら，動物と
> 比べることができるね。

> 植物のはちに
> ふくろをかぶせて，
> 検知管を使って
> 調べてみよう。

→ 気体検知管の
使い方は，
210ページ。

実験　植物が出し入れする気体を，条件を整えて調べる。

① 2つのふくろに，
切り口を作る。

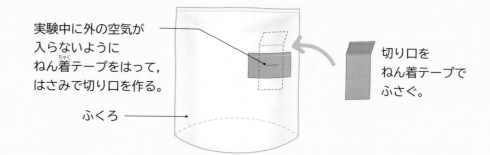

実験中に外の空気が
入らないように
ねん着テープをはって，
はさみで切り口を作る。

ふくろ

切り口を
ねん着テープで
ふさぐ。

② 晴れた日に，2つのホウセンカの
はちにそれぞれふくろをかぶせて，
切り口から息を数回ふきこむ。
それぞれについて，ふくろの中の
酸素と二酸化炭素の量を調べる。

注意 酸素用検知管は熱くなるので，
冷めるまでさわってはいけない。

ストロー

気体検知管

③ 一方のはちはそのまま日なたに，もう一方のはちは箱などでおおいをして，1時間置く。
それぞれのはちについて，ふくろの中の酸素と二酸化炭素の量を調べる。

📖 結果

結果

	日なたに置いたはち		おおいをしたはち	
時刻	酸素	二酸化炭素	酸素	二酸化炭素
11時 実験開始	17%くらい	4%くらい	17%くらい	4%くらい
12時	19%くらい	2%くらい	16%くらい	5%くらい

考察

結果からいえることを
話し合いましょう。

日なたに置いたはちで
酸素が増えたよ。
植物は日光が当たると
酸素を出すんだね。

おおいをしたはちでは,
酸素が減って
二酸化炭素が増えている。
植物は呼吸(こきゅう)しているんだね。

❗ 結論

　植物も動物と同じように, 呼吸で酸素をとり入れ, 二酸化炭素を
出す。植物は日光が当たると, 二酸化炭素をとり入れて, 酸素を出す。

　生物は呼吸で, 植物がつくり出した酸素をとり入れて生きている。

3 水と生物との関わり

問題を見つける

　生物は，生きていくために水を必要とします。生物と水との関わりを考えましょう。

問題

生物は，水とどのように関わっているのだろうか。

予想

これまで学んできたことから予想しましょう。

植物では，根からとり入れた水が，体の中を運ばれていたよ。動物ではどうなのかな。

水は，生物が生きていくためにつねに体にとり入れる必要があるものなんじゃないかな。

調べる2

水と生物との関係を調べる。

　水と生物の関わりについて，下のようなことを本やコンピュータなどで調べ，右のような図にまとめる。

● 生物の体の中の水のはたらき
● 生物が体にとり入れる水や出す水

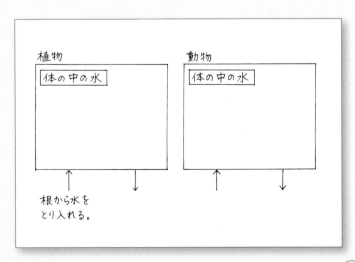

結果

結果

植物

体の中の水

・水は，体の中にある水の
　通り道を通って，体の
　すみずみまで いきわたる。

↑　　　　蒸散↓
根から水を　　　水蒸気
とり入れる。

動物

体の中の水

・水は，消化管の中を運ばれ，
　大腸や小腸で吸収される。
・血液は，酸素や二酸化炭素，
　養分や不要なものを運ぶ。

↑　　　　　　↓
・水を飲む。　・尿　・あせ
・食べものを　・はいた空気に
　食べる。　　　ふくまれる水

動物は，水だけでなく，
食べものからも
水を体にとり入れて
いるよ。

考察

結果からいえることを話し合いましょう。

水が養分を運ぶことで，
生物が体のはたらきを
保ったり成長したり
できるんだね。

そうだね。生物の命は，
水によって保たれている
といえるね。

水を欠かさないために，
植物に水やりをしたり
動物が水を飲んだりする
必要があるんだね。

結論

生物は，体のはたらきを保ったり，成長したりするのに
水が必要である。生物は，水がないと生きていくことができない。

生物の体が必要とする水

　私たちの体の大部分は，水でできています。水は体中に養分を運んだり，不要なものを出したりする大切な役割を果たしています。

　水は，口から入った後，消化管を通る間に体の中へとり入れられて，余分なものは尿として体の外へ出されます。また，呼吸のときにはいた空気にも，水がふくまれています。皮ふの表面からも，あせなどによって常に水が出ていっています。

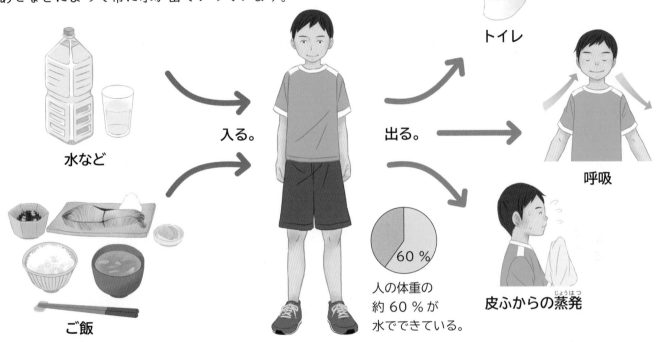

水など

ご飯

入る。

出る。

トイレ

呼吸

皮ふからの蒸発

60 %

人の体重の約 60 % が水でできている。

　このように，体の中の水が常に出ていくので，私たちは養分だけでなく，水を補うためにも食べものを食べます。私たちは，生きるために必要な水の約半分を食べものからとり入れています。残りは，水などを飲んで補います。

　体にとり入れる水の量が足りないときは，尿の量を減らします。とり入れる水が多いときは，尿の量を増やして余分な水を出し，体の中にある水の量を調整します。私たちは体の中に水をとり入れたり，外に出したりして，常に体の中の水の量を調整しながら生きています。

[食べものにふくまれている水の割合]

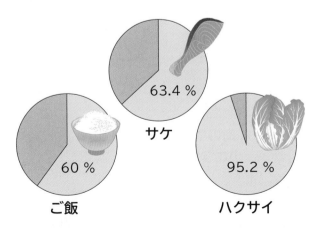

63.4 %
サケ

60 %
ご飯

95.2 %
ハクサイ

確かめよう ▶ 生物どうしの関わりについて，
学んだことを確かめましょう。

❶ （　　）に当てはまる言葉を入れましょう。

> 「食べる・食べられる」という関係で1本の線のようになっている
> 生物の間のつながりを（　　　）という。
> 動物が食べているものをたどると，（　　　）にたどり着く。
> 　植物は，日光が当たると（　　　）をとり入れて，（　　　）を出す。

❷ 「食べる・食べられる」の関係を考えて，
食べられるものから食べるものに向けて→を入れてつなぎましょう。

オキアミ

モンシロチョウの
幼虫

イソカサゴ

キャベツ

海の中の
小さな生物

カエル

イカ

シマヘビ

福岡県 福津市

❶ 海には，サメやマグロなどの大きな生物や，それよりも
小さいイワシなどの生物，それよりもさらに小さい生物
など，さまざまな生物がすんでいます。
　もし，海の中から右の写真のような小さな生物が
いなくなったら，人にどのようなえいきょうが
あるでしょうか。「食べる・食べられる」の関係から
説明しましょう。

海の中の
小さな生物
（100倍）

❷ 植物と空気の関わりを調べるために，
ホウセンカにふくろをかぶせて，
ストローで息をふきこみました。そして
実験開始のときと，1時間後のふくろの
中の酸素と二酸化炭素の体積の割合を
調べました。別の日に，もう一度実験を
すると，結果がちがいました。
この2つの結果からどのようなことが
いえるか，自分の考えを説明しましょう。

⑦ 晴れている日

時刻	酸素	二酸化炭素
11時（実験開始）	約17%	約4%
12時	約19%	約2%

⑦ くもっている日

時刻	酸素	二酸化炭素
11時（実験開始）	約17%	約4%
12時	約15%	約6%

❸ 人は，植物やほかの動物などと，
空気や食べものを通して関わり
合っています。それぞれどのように
関わり合っているか説明しましょう。

植物　　　　　人　　　ほかの動物

87

自由研究

くわしく調べてみたいと思ったことや不思議に思ったことなど，自分で調べることを決めて，研究してみよう。

テーマの見つけ方
- 生活の中で疑問に思ったことや興味のあることから……
- 3年から6年で学習したことの中で，もっと調べてみたいことから……
- 自分たちの住む地域の自然の中から……

進め方
1. テーマを決める。
2. 計画を立てる。
3. 準備をする。
4. 調べたり，作ったりする。
5. まとめる。
6. 発表する。

❶ テーマを決めよう

● 人体実物大パネル
血液のじゅんかんや消化管などを実物と同じ大きさでかく。

● 片栗粉作り
ジャガイモのいもから片栗粉を作る。

● 花をカラフルに染める
着色した水を吸わせて，花をいろいろな色に染める。

● 川の水質調査
川の水をいろいろな場所でとり，川の水のよごれ具合を調べる。

鴨川　京都府 京都市

● 動物の食べもの
動物園でいろいろな動物の食べものを調べる。

よこはま動物園 神奈川県 横浜市
ズーラシア

● 海の中の小さな生物
近くの海で，どのような小さな生物がいるか，けんび鏡を使って調べる。

静岡県 下田市

注意　川や海に行くときは，必ず大人といっしょに行く。

2 計画を立てよう

テーマを決めたら，調べ方や作り方を計画しよう。

[調べるとき]

❶ 学習したことなどをもとに，予想する。

❷ 予想を確かめるための調べ方を考える。

 ● 条件を整えて
 ● いろいろな方法で

❸ 準備するものを考える。

❹ 調べていく予定を立てる。

❺ 調べるときに気をつけることを考える。

 ● 器具の使い方
 ● 記録しておくこと
 ・月日，時刻，天気，気温など
 ・観察や実験したことと，その結果
 ・自分で思ったことや考えたこと
 ● 危険なことや危険な場所

[作るとき]

❶ でき上がりを想像して絵に表す。

❷ 作り方を考える。

 ● 学習したことをどう生かしていくか。
 ● どのように作っていくか。

❸ 準備するものを考える。

 ● どのような材料や道具が必要か。

❹ 作るときに気をつけることを考える。

 ● くふうが必要なところ
 ● けがなどに注意が必要なところ

計画ができたら，先生や家の人に見てもらおう。

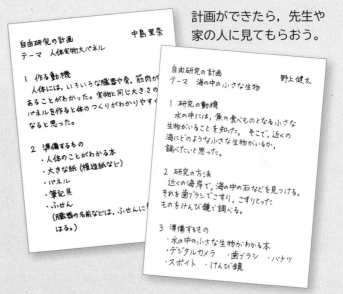

3 準備をしよう

計画ができたら，必要な材料や資料，道具などを準備しよう。

89

④ 調べたり，作ったりしよう

計画に従って，観察や実験をしたり，作ったりしよう。

● 観察や実験の結果や気づいたことなどは，
ノートや写真などに記録しておこう。

● 予想のようにならなかった実験の結果も全て
記録して，なぜそうなったのかを考えよう。

● うまく作れなかったときは，どこが
よくなかったのか考えて，もう一度作ってみよう。

● わからないことがあったら，図書館や科学館，
博物館，コンピュータなどで調べよう。

注意　川や海に行くときは，必ず
大人といっしょに行く。

茨城県 ひたちなか市

葛西臨海水族園

東京都 江戸川区

伊豆半島ジオパークミュージアム　ジオリア

静岡県 伊豆市

北九州市立いのちのたび博物館　福岡県 北九州市

[コンピュータで調べるときの注意]
・コンピュータで調べるときは，先生や家の人に
　使い方を聞いて，気をつけることを守る。
・インターネットを使って調べるときは，
　特にルールやマナーを守るように気をつける。
・くわしいことは，**205** ページを見よう。

⑤ まとめよう　研究したことをわかりやすくまとめよう。

研究したいと思った理由を書こう。

どのような結果になるか予想を書こう。

研究の方法を順序がわかるように書こう。

写真や図，絵などを使い，わかりやすくしよう。

海の中の小さな生物

6年1組　野上健太

1　研究の動機
　水の中には，魚の食べものとなる小さな生物がいることを知った。そこで，近くの海にどのような小さな生物がいるか，調べたいと思った。

2　予想
　海岸近くの浅い海にも魚がいるので，魚の食べものとなる小さな生物もいると思う。

3　研究の方法
①近くの海岸で，海の中の石などを見つける。
②石の表面を歯ブラシでこすり，こすりとったものをバケツの海水に入れる。
③②の海水を持ち帰り，こすりとったものを けんび鏡で調べる。けんび鏡での観察は，先生に相談し，学校で行う。
④図かんやコンピュータで海の中の小さな生物を調べる。

4　結果
　いくつかの小さな生物を観察することができた。例えば，写真のような緑色の丸い形をした生物がいた。

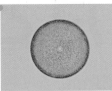

研究してわかったことや気づいたことを書こう。

研究して思ったことや次に調べてみたいことを書こう。

5　わかったこと
　近くの海岸の海の中にも小さな生物がいた。その生物には，いろいろな色や形があった。動かないものと動くものがいた。

6　感想
　図かんで調べたら，海の中の小さな生物には，多くの種類があることがわかったので，近くの海だけでなく，ほかの海でも調べてみたい。

［ まとめの例 ］

❶ ノートやスケッチブックにまとめる。

❷ 大きな紙（模造紙）にまとめる。

❸ コンピュータを利用してまとめる。

⑥ 発表しよう

研究した内容を順序よく，わかりやすく話そう。
ほかの人の発表をよく聞いて，疑問に思うことは質問しよう。

太陽

 ← 東

6···月と太陽

半月が南の空に見えています。
写真を見て気づいたことを話し合いましょう。

 南

 半月

半月

太陽がのぼるとき，南の空に月が見えるね。月の形は…

太陽がしずむときに，南の空に見える月は，形がちがうね。

南

西

朝の太陽と半月のようす
3月　神奈川県 三浦市

夕方の太陽と半月のようす
9月　神奈川県 三浦市

太陽

3,4年 で学んだこと

● 太陽の位置は，東のほうから南の空を通って，西のほうに変わる。▶3年

東　　　南　　　西

● 月は，日によって見える形が変わり，1日のうちでも時刻によって位置が変わる。▶4年

東　　　　　南 →

月と太陽の位置をよく見てみよう。

93

月の形とその変化

月は，みずから光を出して
いません。月は，太陽の光を
はね返してかがやいています。

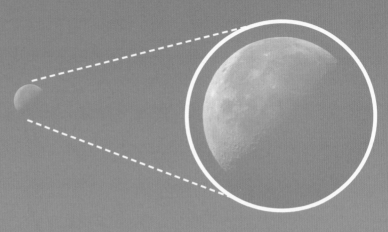

> 月の形は，
> 月と太陽の位置と
> 関係があるのかな。

月周回衛星「かぐや」から
さつえいされた月の表面のようす

クレーター

月の表面には，
クレーターと呼ばれる
丸いくぼみが見られます。

月面に立つ
宇宙飛行士

［ 月と太陽の位置を調べよう ］

方位磁針の使い方は，213ページ。

① 午前中に見える月の形と
位置（方位・高さ）を調べる。

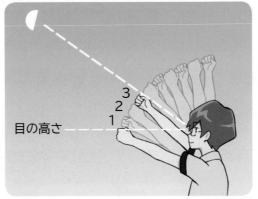

目の高さ

月の位置を調べる
月に向かって立ち，
月のおよその方位と
高さを調べる。

② 太陽の位置を調べる。

太陽の位置を調べる
太陽に向かって立ち，
しゃ光板を使って太陽の
およその方位と高さを調べる。

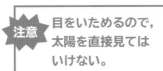
注意 目をいためるので，
太陽を直接見ては
いけない。

上の図のようにして，月と
太陽がどのくらいはなれて
いるかも調べておこう。

③ 2，3日後の同じ時刻に観察し，
①，②と同じように調べる。

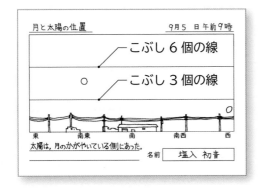
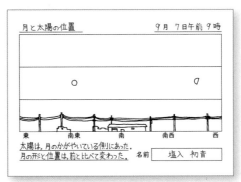

月のかがやいている側に太陽があります。
　同じ時刻の太陽の位置はほぼ変わらないが，
月の位置は日によって変わり，月の形も
変わって見えます。

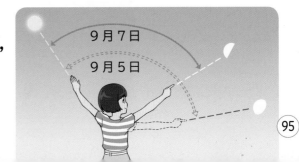
9月7日
9月5日

❓ 問題　月の形の見え方が日によって変わるのは，どうしてだろうか。

💭 予想

92，93ページの写真や月と太陽の位置を調べたことから予想しましょう。

月のかがやいている側に太陽があるから…

日によって，月の位置が変わったから，月と太陽との間に関係が…

太陽の光の当たり方によって，月の形の見え方が変わりそうだ。

半月はどちらか一方が照らされていると思う。

かげになっている。

明るく照らされている。

月

太陽の光

📖 計画

どのように調べたらよいでしょうか。

5年で流水実験器を川に見立てたよ。何を月と太陽に見立てるといいのかな。

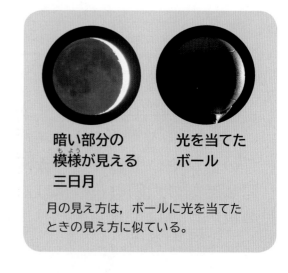

暗い部分の模様が見える三日月

光を当てたボール

月の見え方は，ボールに光を当てたときの見え方に似ている。

実験　月の形の見え方と太陽の位置の関係を調べる。

① 暗くした部屋で，ボールを持ち，電灯の光を横から当てる。

② ボールを持ったまま，その場で少しずつ向きを変え，光が当たっている部分の形を調べる。

③ 三日月や半月，満月のように見えるとき，ボールを持っていないほうの手で光の方向を指さして，電灯とボールの位置関係を調べる。

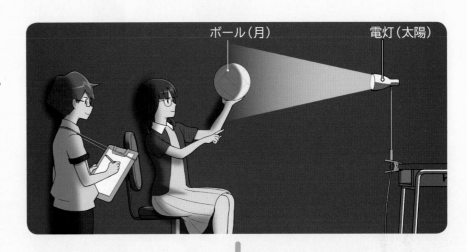

ボール（月）　電灯（太陽）

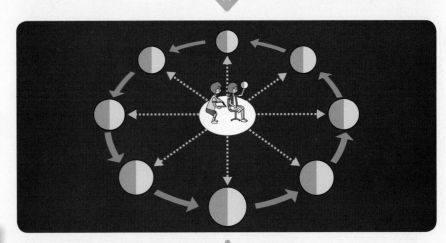

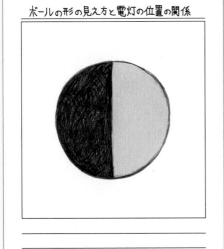

ボールの形の見え方と電灯の位置の関係

名前　大川戸 みつる

調べよう　伝えよう

結果

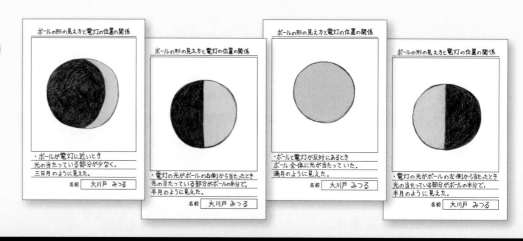

ボールの形の見え方と電灯の位置の関係

・ボールが電灯に近いとき光の当たっている部分が少なく，三日月のように見えた。
名前　大川戸 みつる

・電灯の光がボールの右側から当たったとき光の当たっている部分がボールの半分で，半月のように見えた。
名前　大川戸 みつる

・ボールと電灯が反対にあるときボール全体に光が当たっていた。満月のように見えた。
名前　大川戸 みつる

・電灯の光がボールの左側から当たったとき光の当たっている部分がボールの半分で，半月のように見えた。
名前　大川戸 みつる

考察　結果からいえることを話し合いましょう。

月の形の変化
月の形の変化（新月から次の新月まで）は，約30日でくり返されている。

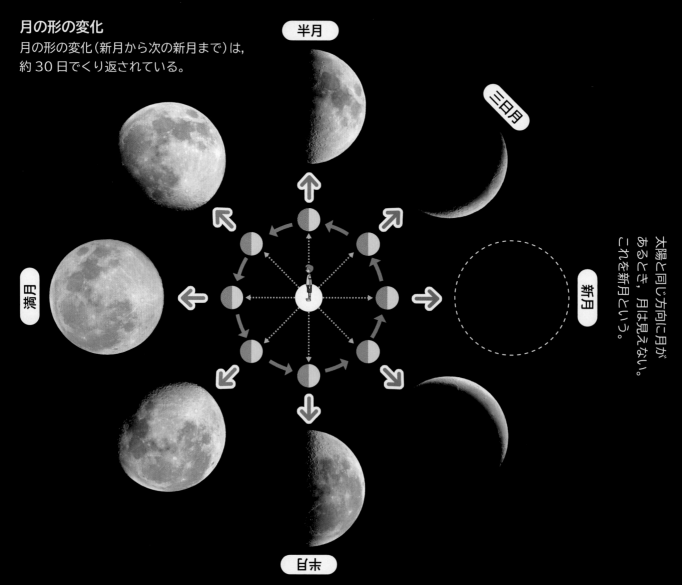

半月　三日月　新月　日末　日照

太陽と同じ方向に月があるとき，月は見えない。これを新月という。

98　新月など文字に合わせて，教科書を回して読もう。

ボールの
明るい部分の変化は，
月の形の変化と
同じに見えるね。

月と太陽の位置が
はなれると，
満月に見えるね。

結 論

月のかがやいている側に，太陽がある。

月の形が日によって変わって見えるのは，

月と太陽の位置関係が変わるからである。

TRY!
深めよう
月をくわしく調べよう！

❶ 双眼鏡や望遠鏡を使って，月の表面の模様や
クレーターを観察する。

双眼鏡

注意

● 目をいためるので，太陽を
直接見てはいけない。
● 夜に観察するときは，大人と
いっしょに行う。

❷ コンピュータなどで，
日によって月の形の変わる
ようすなどを調べる。

Science WORLD
サイエンスワールド

宇宙のこと，もっと深く知ろう！

● 月と太陽の実際の大きさときょり

　地球からは，ほぼ同じ大きさに見える月と太陽ですが，実際の大きさは全くちがいます。どうして同じような大きさに見えるのでしょうか。

　太陽の大きさが月の約400倍で，地球から太陽までのきょりが地球から月のきょりの約400倍あります。そのため，地球から見るとほぼ同じ大きさに見えます。

● 日食

　太陽と地球の間に月が入ると，太陽が欠けて見えます。これが日食です。太陽と月（新月），地球が一直線に並んだときに太陽が一部，または全部見えなくなります。月の外側に太陽がはみ出して細い光の輪が見える場合を金環日食といいます。

　しかし，月と太陽が一直線上に並ぶことは，いつも起こるわけではありません。

［ 地球と月，太陽の大きさときょり比べ ］

運動会の大玉（直径約120cmの大玉）を太陽だとすると…

太陽の大きさ
直径約140万km

地球の大きさ
直径約1万3000km
（直径約1.1cmの小さいビー玉）

月の大きさ
直径約3500km
（直径約0.3cmのビーズ玉）

太陽から地球までのきょりは，約130m
地球と月のきょりは，約33cm

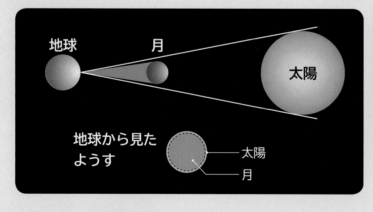

地球から見た
ようす
太陽
月

金環日食
2012年5月21日
栃木県 日光市

地球

地球から月までのきょり
約38万km

月

実際に校庭など
広い場所を使って
体験しよう。

中学校3年「地球と宇宙」で学ぶ内容です。

「宇宙」を調べ，利用する

● 小わく星探査機「はやぶさ2」

　日本が打ち上げた「はやぶさ」は，世界で初めて月以外の天体「イトカワ」に着陸し，「イトカワ」から細かなかけらを地球に持ち帰ることに成功しました。

　2003年に打ち上げられ，たくさんのトラブルを乗りこえて2010年に地球にもどってきました。持ち帰ったかけらを調べることで，太陽や地球がどのようにしてできたかがわかるといわれています。

　そして，2014年に「はやぶさ」をもとに改良された「はやぶさ2」が打ち上げられました。

　天体「リュウグウ」を目指し，地球にかけらを持ち帰るミッションです。

　2018年に「リュウグウ」にとう着しました。

　この「リュウグウ」には，水や生物の体をつくるもとになるものがふくまれているといわれています。「リュウグウ」のかけらを調べると，地球のでき方以外にも，水や生物の誕生の秘密も解き明かせるかもしれません。

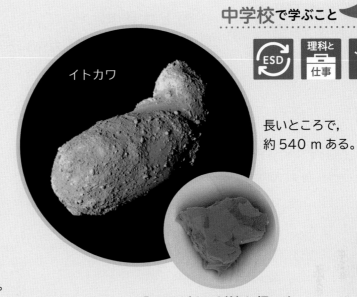

イトカワ

長いところで，約540mある。

「はやぶさ」が持ち帰った「イトカワ」のかけら

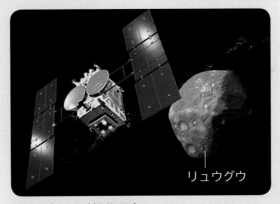

はやぶさ2（想像図）

リュウグウ

太陽

地球から太陽までのきょり
約1億5000万km

❶ つばささんは，月の形が変わって見えるのは，
月と太陽の位置の関係が変わるためと考えて，
実験の計画を立てました。
　つばささんは，ボールと電灯を用意
しました。ボールと電灯は，それぞれ
何に見立てたのか説明しましょう。

❷ 月と太陽の位置と見え方を
まとめました。⑦〜②の
月の見え方を説明しましょう。
　また，月の形が変わって
見える理由を説明しましょう。

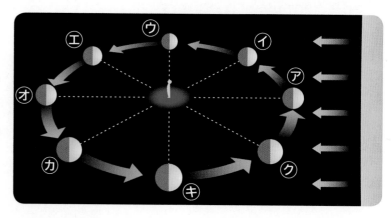

学んだことを
生かそう ▶ 学んだことを生かして，
問題にちょう戦してみましょう。

❶ 太陽が西にしずむとき，右の図のような
位置に月が見えました。このとき，月は
どのような形をしているでしょうか。
その理由も説明しましょう。

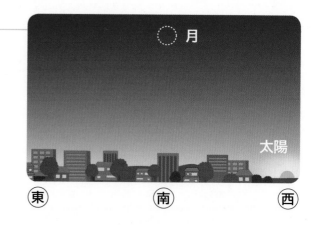

❷ 与謝蕪村の俳句に
「菜の花や　月は東に　日は西に」があります。
この俳句がよまれたのは，朝，昼，夕方の
いつでしょうか。また，月はどのような形を
していたと考えられるでしょうか。

ESD

理科と
仕事

科学
技術

英語
ABC

宇宙での仕事

　右の写真は，国際宇宙ステーション
（インターナショナルスペースステーション，
International Space Station）です。
日本やアメリカ，ロシア，カナダ，
ヨーロッパの国々が協力して作ったし設です。
　地上から約 400 km の上空にあり，
90 分間で地球を 1 周する速さで回っています。
　国際宇宙ステーションの中の空気は，地上と
同じになるように保たれています。

　国際宇宙ステーションでは，さまざまな
実験や，地球や星の観測などを行っています。
そのような仕事を，いろいろな国から来た
宇宙飛行士が行っています。
　言葉も文化もちがう中で，おたがいの考えを
正確に伝え合うために，主に英語が
使われています。

国際宇宙ステーション

野口聡一
宇宙飛行士

　国際宇宙ステーションでは，みなさんの暮らしを豊かにするために，
さまざまな実験が行われています。みなさんが大人になるころには，
月や火星で大勢の人たちが暮らしているかもしれません。
　みなさんも宇宙を目指して，「夢」を大きく広げてくださいね。

7 ○○●○○

水よう液の性質

私たちの身の回りには，いろいろな水よう液があります。
見るだけでは区別できない水よう液もあります。
それぞれの水よう液を見たり，においを調べたりして，
気づいたことを話し合いましょう。

見た目は…

食塩水

炭酸水

アンモニア水

問題を見つける

理科室のきまりは，208〜209ページ。
薬品のあつかい方は，209ページ。

注意

- 薬品が目に入らないように，保護めがねをかける。
- 薬品が手などについたら，水でよく洗う。
- かん気をする。
- においを調べるときは，直接かがず手であおいでかぐ。

5年 で学んだこと

水にものがとけたとうめいな液体を水よう液という。

食塩

食塩の水よう液（食塩水）

見た目は同じでも，においがあるものとないものがあるよ。とけているものがちがうんだね。

塩酸

石灰水

それぞれの水よう液の同じところやちがうところを見つけてみよう。

［ 水よう液にとけているものをとり出してみよう ］

とけているものを
とり出すには，
水の量を減らせば
いいんだったね。

5年 で学んだこと

水よう液にとけているものをとり出すには，水の量を
減らしたり，水よう液の温度を下げたりすればよい。

氷水

水よう液を蒸発皿（じょうはつざら）に少量とって熱し，何か残るか調べる。

注意

● 薬品が目に入らないように，
保護めがねをかける。

● 薬品が手などについたら，
水でよく洗（あら）う。

● かん気をする。

● 蒸発した気体を吸（す）いこまない
ようにする。

● 熱しているときは，薬品が
とんでくることがあるので，
上からのぞいたり，
顔を近づけたりしない。

● 液体が残っているうちに
熱するのをやめる。

● 熱したものや使った器具は
熱くなっているので，冷める
までさわってはいけない。

→ 理科室のきまりは，208 〜 209 ページ。
薬品のあつかい方は，209 ページ。
こまごめピペットの使い方は，213 ページ。
実験用ガスこんろの使い方は，214 ページ。

水よう液	食塩水	炭酸水	アンモニア水	塩酸	石灰水
見た目	とうめいで色はついていない。	とうめいで色はついていない。あわが出ていた。	とうめいで色はついていない。	とうめいで色はついていない。	とうめいで色はついていない。
におい	においはしなかった。	においはしなかった。	つんとしたにおいがした。	においはしなかった。(熱したときににおいがした。)	においはしなかった。
熱した後	白い固体が残った。	何も残らなかった。	何も残らなかった。	何も残らなかった。	白い固体が残った。

熱した後,固体が残るものと,何も残らないものがあったね。

炭酸水,アンモニア水,塩酸は,熱した後,何も残らなかったけど,どうしてだろう。

1 水よう液にとけているもの

炭酸水を熱すると，
何も残りませんでした。

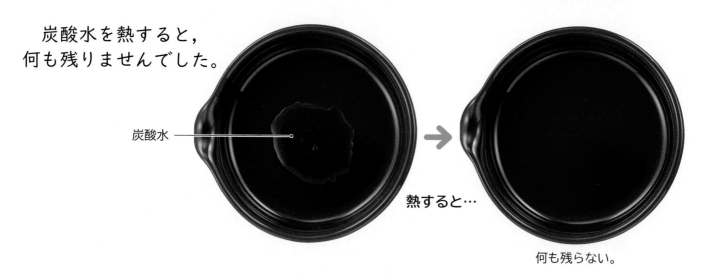

炭酸水 ──────○

熱すると…

何も残らない。

? 問 題　炭酸水には何がとけているのだろうか。

予 想　経験したことや学んだことから予想しましょう。

炭酸水を注ぐと，あわが
出たね。ふっとうする
水から出ているあわは
気体だったから…

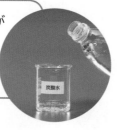

炭酸水には
二酸化炭素が
とけていると
聞いたことがあるよ。

計 画　どのように調べればよいでしょうか。

気体がとけていると
したら，気体を出す
方法はないかな。

炭酸水をふったら，
あわを出すことが
できるかな。

二酸化炭素が
あるかを調べる
方法は…

実 験 1

**炭酸水にとけているものを，
いろいろな方法で調べる。**

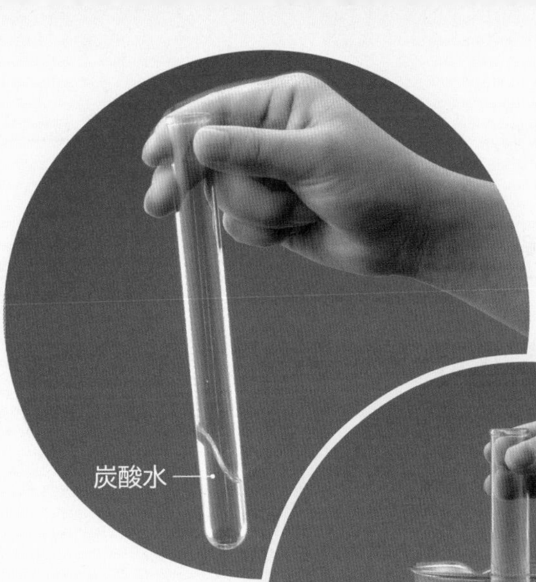

① 炭酸水の入った試験管を軽くふって，
ようすを見る。

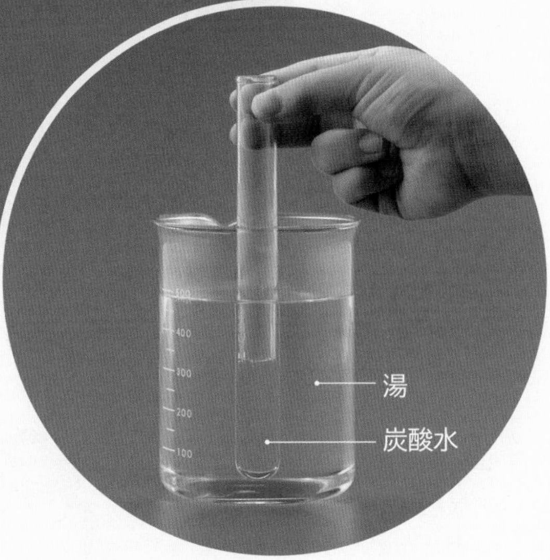

炭酸水

② 炭酸水の入った試験管を湯につけて，
ようすを見る。

ポイント

約 60 ℃ の湯を使う。

→ 理科室のきまりは，
208 〜 209 ページ。
薬品のあつかい方は，
209 ページ。

湯
炭酸水

③ 右の図のような装置を作り，
炭酸水の入った容器を軽くふって，
石灰水に変化があるか調べる。

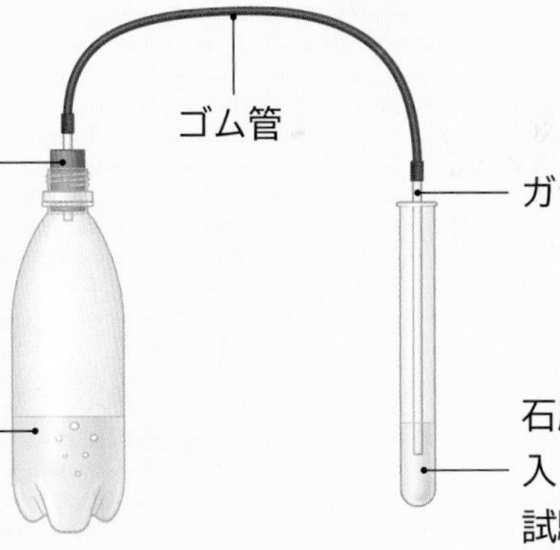

ガラス管を
通したゴムせん

ゴム管

ガラス管

炭酸水が
入った容器

石灰水が
入った
試験管

注意

● 薬品が目に入らないように，
保護めがねをかける。
● 薬品が手などについたら，
水でよく洗う。
● 湯でやけどをしない
ようにする。

📖 結果

> 結果
>
> 炭酸水をふると，あわが出てきた。
> 炭酸水をあたためると，あわが出てきた。
> 炭酸水から出てきたあわを石灰水に通すと，石灰水が白くにごった。

考察

結果からいえることを話し合いましょう。

炭酸水をふったり
あたためたりしたら，
あわが出てきたね。

出てきたあわは
石灰水を白く
にごらせたから，
二酸化炭素だね。

気体がとけている
水よう液も
あるんだね。

！結論

炭酸水には，気体の二酸化炭素がとけている。

　水よう液には，気体がとけているものがある。
　炭酸水を熱すると何も残らないのは，とけていた
二酸化炭素が空気中に出ていくためである。

においのある水よう液

> アンモニアは,
> つんとくる
> においだね。

塩酸やアンモニア水はにおいがします。これは,
塩酸には塩化水素,アンモニア水にはアンモニアという,
においのある気体がとけているためです。塩酸や
アンモニア水をふったりあたためたりすると,とけている
気体が出てくるので,においが強くなります。

二酸化炭素を水にとかしてみよう!

深めよう

炭酸水には,二酸化炭素がとけていました。
二酸化炭素を水にとかして,炭酸水をつくりましょう。

① 水を入れたペットボトルに二酸化炭素を集め,
ふたをして水そうからとり出す。

→ 理科室のきまりは,
208 ～ 209 ページ。
薬品のあつかい方は,209 ページ。

② ペットボトルをふり混ぜる。

水を入れたペットボトル
(プラスチックの容器)

ペットボトルが
へこむ。

注意

- 薬品が目に入らないように,
保護めがねをかける。
- 薬品が手などについたら,
水でよく洗う。
- ボンベの気体を吸わない。

へこむ前と後のペットボトルの中の
二酸化炭素のようすを図や絵に表して,
なぜへこんだのか自分の考えを
説明してみよう。

2 酸性・中性・アルカリ性の水よう液

🔭 問題を見つける

5つの水よう液で，炭酸水以外はどれも見た目が同じだったね。

食塩水と石灰水はにおいがなくて熱すると白い固体が残ったけど，区別できないのかな。

食塩水を熱したとき

石灰水を熱したとき

アンモニア水と塩酸も，両方ともににおいがあって，熱すると何も残らなかったけど…

洗ざいなどの身の回りの液体の容器には，酸性，中性，アルカリ性などと表示されています。

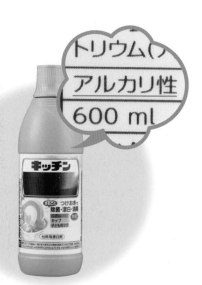

水よう液には，酸性，中性，アルカリ性のものがあります。

❓ 問題　それぞれの水よう液は何性なのだろうか。

📖 計画　どのように調べればよいでしょうか。

リトマス紙を使うと，水よう液を酸性，中性，アルカリ性に分けることができます。

赤色リトマス紙

青色リトマス紙

リトマス紙の使い方

① ピンセットでリトマス紙をとり出す。

② かくはん棒(ぼう)を使って，調べる水よう液をリトマス紙につける。

③ 調べる水よう液を変えるときは，かくはん棒を水で洗(あら)う。

酸性の水よう液	中性の水よう液	アルカリ性の水よう液
青色　　　　赤色 赤色	青色 赤色	青色 赤色 　　　　青色
青色リトマス紙が赤色に変わる。 赤色リトマス紙の色は変わらない。	青色，赤色のどちらのリトマス紙も色は変わらない。	青色リトマス紙の色は変わらない。 赤色リトマス紙が青色に変わる。

📋 実験2　それぞれの水よう液をつけたときのリトマス紙の色の変化を比べながら調べる。

① 食塩水，石灰水を青色リトマス紙や赤色リトマス紙につけ，色の変化を調べる。

② アンモニア水，塩酸をリトマス紙につけ，色の変化を調べる。

③ 炭酸水をリトマス紙につけ，色の変化を調べる。

食塩水　石灰水
アンモニア水　塩酸

注意

● 薬品が目に入らないように，保護めがねをかける。

● 薬品が手などについたら，水でよく洗う。

● かん気をする。

炭酸水も，何性か調べてみよう。

 理科室のきまりは，208 ～ 209 ページ。薬品のあつかい方は，209 ページ。

 結 果

結果

水よう液	リトマス紙の変化
食塩水	青色　→　青色 赤色　→　赤色
石灰水	青色　→　青色 赤色　→　青色
アンモニア水	青色　→　青色 赤色　→　青色
塩酸	青色　→　赤色 赤色　→　赤色
炭酸水	青色　→　赤色 赤色　→　赤色

考察　結果からいえることを話し合いましょう。

区別できなかった
水よう液も，
リトマス紙を
使うと区別できた。

酸性	中性	アルカリ性
塩酸 炭酸水	食塩水	石灰水（せっかいすい） アンモニア水

リトマス紙の色の変化から，食塩水は
中性，石灰水はアルカリ性で，ちがう
性質だとわかったね。

結 論

塩酸と炭酸水は酸性の水よう液，食塩水は中性の水よう液，

石灰水とアンモニア水はアルカリ性の水よう液である。

　水よう液には，**酸性，中性，アルカリ性**のものがある。
　リトマス紙を使うと，水よう液を酸性，中性，アルカリ性に
分けることができる。

何性かをいろいろな もので調べてみよう！

レモンのしるや
せっけん水などの
身の回りの液体が何性か
調べてもいいね。

ムラサキキャベツの葉でつくった液体や，BTB液
という液体などを使っても，水よう液が酸性，中性，
アルカリ性のどれであるかを調べることができます。

[ムラサキキャベツ液で調べてみよう]

①　ムラサキキャベツの葉を細かく切る。

②　細かく切ったムラサキキャベツを
ふくろに入れ，食塩を加える。
むらさき色の液体が出るまでもむ。

③　調べる水よう液にムラサキキャベツ液を
入れて，色の変化を調べる。

ムラサキキャベツ

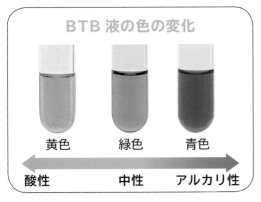

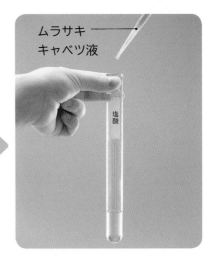

ムラサキ ——
キャベツ液

ムラサキキャベツ液の色の変化

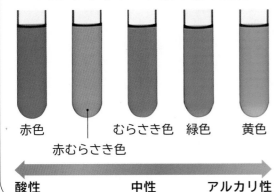

| 赤色 | | むらさき色 | 緑色 | 黄色 |

赤むらさき色

酸性　　　　　中性　　　アルカリ性

理科室のきまりは，
208 ～ 209 ページ。
薬品のあつかい方は，
209 ページ。

注意

● 薬品が目に入らない
ように，保護めがねを
かける。

● 薬品が手などについたら，
水でよく洗う。

● かん気をする。

[BTB 液で調べてみよう]

BTB 液の色の変化

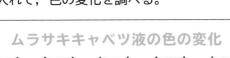

| 黄色 | 緑色 | 青色 |

酸性　　　中性　　アルカリ性

指示を出すとロボットが
液体の性質を調べる展示

京都市青少年科学センター
京都府 京都市

色でみる酸とアルカリ

3 金属をとかす水よう液

問題を見つける

金属の容器には，右の写真の「酸性の食品の使用・保存は避けてください。」などのような注意書きが書かれていることがあります。

○ 普段のお手入れは洗剤を付けたスポンジ等で洗って等のご使用は傷を付けますので避けてください。）
○ 強度の酸性の食品の使用・保存は避けてください。
○ 縁まで水等を満たした状態で使用しないでください。
○ 長時間料理を保存しないでください。

金属の弁当箱

酸性のものを入れてはいけないのは，なぜかな。

問 題

塩酸に金属を入れると，金属はどうなるのだろうか。

酸性の水よう液である塩酸で調べてみよう。

予 想

経験したことや学んだことから予想しましょう。

水に食塩を入れたときと同じように，塩酸に金属を入れると金属はとけると思う。

食塩とちがって金属は水にとけないから，塩酸にもとけないと思う。

 **計 画** どのように調べればよいでしょうか。

> 身の回りにはいろいろな
> 金属があるから，
> いくつか調べてみたいな。

> アルミニウムや
> 鉄を使って
> 調べてみよう。

実 験 3

塩酸のはたらきを
いろいろな方法で調べる。

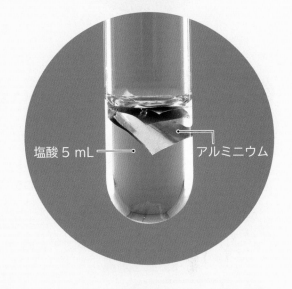

塩酸 5 mL ——— アルミニウム

① 試験管にアルミニウムを入れて塩酸を加え，
アルミニウムがどうなるかを調べる。

ポイント

①の液体は，実験 4 のためにとっておく。

② 試験管に鉄を入れて塩酸を加え，
鉄がどうなるかを調べる。

 理科室のきまりは，
208 〜 209 ページ。
薬品のあつかい方は，
209 ページ。
こまごめピペットの
使い方は，213 ページ。

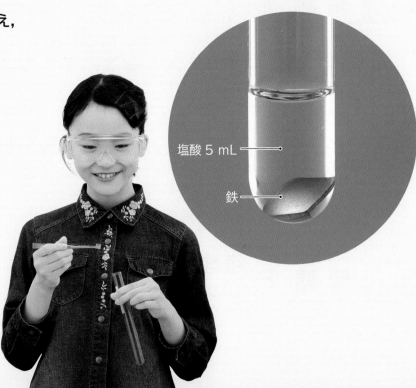

塩酸 5 mL ———

鉄 ———

注意

● 薬品が目に入らないように，
保護めがねをかける。
● 薬品が手などについたら，
水でよく洗う。
● かん気をする。
● 実験するときは，火を近づけない。

 **結 果**

アルミニウム　　　　　　　　　　　　　　　　　　　　　鉄

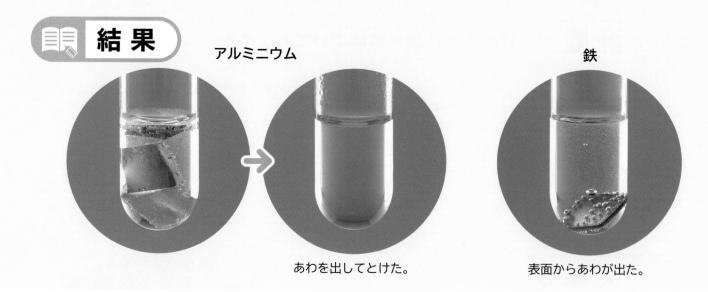

あわを出してとけた。　　　　　　　　　表面からあわが出た。

考 察　結果からいえることを話し合いましょう。

アルミニウムはあわを出してとけたね。

鉄はあわが出たけど、とけていたのかわからなかったよ。

結 論

塩酸にアルミニウムを入れると、アルミニウムはあわを出しながらとける。

塩酸に鉄を入れると、鉄の表面からあわが出る。

？ 問題　塩酸にとけたアルミニウムはどうなったのだろうか。

**予 想** 経験したことや学んだことから予想しましょう。

水にとけた食塩のように，アルミニウムのままとけていると思う。

あわが出ていたね。アルミニウムは別のものに変わったかもしれない。

アルミニウムはあわになって消えたと思う。

計 画 どのように調べればよいでしょうか。

液体を熱したらどうかな。アルミニウムがあわになって消えていたら，何も残らないはずだね。

何か残ったら，アルミニウムと同じものか調べよう。塩酸に入れて…

実 験 4 液体からとり出したものの性質をいろいろな方法で調べる。

① 実験3でアルミニウムがとけた液体の上ずみ液を蒸発皿にとって熱し，何か残るかを調べる。

上ずみ液

約2 mL

塩酸にアルミニウムがとけた液体

② 蒸発皿に残ったものの見た目を，アルミニウムと比べる。

③ 蒸発皿に残ったものを塩酸に入れて，ようすを調べる。

注意
- 薬品が目に入らないように，保護めがねをかける。
- 薬品が手などについたら，水でよく洗う。
- かん気をする。
- 熱しているときは，薬品がとんでくることがあるので，上からのぞいたり，顔を近づけたりしない。
- 蒸発した気体を吸いこまないようにする。
- 液体が残っているうちに熱するのをやめる。
- 熱したものや使った器具は熱くなっているので，冷めるまでさわってはいけない。

理科室のきまりは，208～209ページ。薬品のあつかい方は，209ページ。こまごめピペットの使い方は，213ページ。実験用ガスこんろの使い方は，214ページ。

📖 結果

液体を熱して
出てきた固体

結果

塩酸にアルミニウムがとけた液体を熱すると，
固体が出てきた。

	見た目	塩酸に入れたとき
アルミニウム	銀色で，つやがある。	あわが出た。
出てきた固体	白色で，つやはない。	あわは出なかった。

💬 考察　結果からいえることを話し合いましょう。

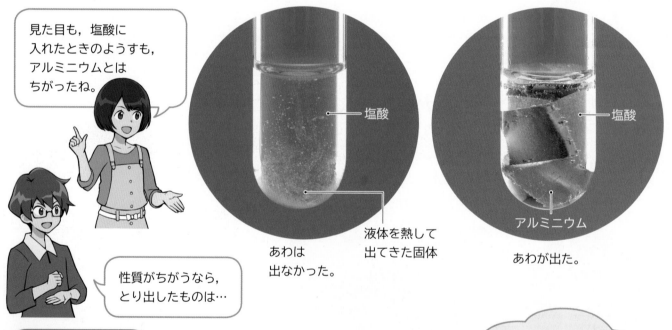

見た目も，塩酸に
入れたときのようすも，
アルミニウムとは
ちがったね。

性質がちがうなら，
とり出したものは…

塩酸

液体を熱して
出てきた固体

あわは
出なかった。

塩酸

アルミニウム

あわが出た。

❗ 結論

あわが出ていた鉄も，
とけて別のものに
変わっていたんだよ。

アルミニウムは，塩酸にとけて別のものに変わる。

水よう液には，金属を別のものに変化させるものがある。

ほかの水よう液も金属をとかすかな？

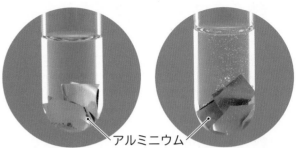

水酸化ナトリウム

水酸化ナトリウムの水よう液

水酸化ナトリウムの水よう液はとうめいで色はついておらず，アルカリ性である。

塩酸は，アルミニウムや鉄をとかして別のものに変化させました。ほかの水よう液でも，アルミニウムを入れるとあわが出てとけるのでしょうか。

アルミニウムはくに食塩水を加えてしばらくしても，塩酸を加えたときのようには，あわが出ているようすは見えません。しかし，「水酸化ナトリウム」というものをとかした水よう液にアルミニウムはとけます。

このように，水よう液によって，その性質やはたらきにはちがいがあるのです。

アルミニウム

食塩水

水酸化ナトリウムの水よう液

Science WORLD
サイエンスワールド

変化しにくい貴重な金属（きちょう）

中学校で学ぶこと 発展

ESD　環境

水よう液には，金属をとかして別のものに変化させるものがあります。しかし，どのような金属でもとかすわけではありません。アルミニウムや鉄は塩酸に入れるととけて別のものに変化しましたが，例えば，金や銀，銅は，塩酸にはとけません。

特に金は，ほとんどの水よう液にとけず，別のものに変化しにくい金属です。そのため，自然の中からそのまま発見されやすく，また，美しい色をしていることなどから，昔から大判や小判などのお金にも使われてきました。

大判　小判

はいきされた電気製品などから金をとり出す。

とり出したわずかな金を集めて，金のかたまりをつくる。

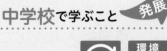

最近では，金や銀などの金属がコンピュータやけい帯電話（たい）の部品としても使われています。金や銀は自然の中からわずかしか得られない貴重な金属なので，はいきされたコンピュータやけい帯電話などから回収（かいしゅう）して，再利用しています。

中学校3年「化学変化と電池」で学ぶ内容です。

確かめよう 水よう液の性質について，
学んだことを確かめましょう。

---

❶ 表の中に当てはまる言葉を入れましょう。

	塩酸	食塩水	アンモニア水
水よう液の性質	（　　　）性	中性	（　　　）性
とけているもの	（　　　）	（　　　）	気体

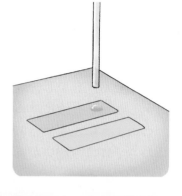

❷ 酸性，中性，アルカリ性の水よう液で，それぞれ
リトマス紙の色はどのように変化するか説明しましょう。

❸ 塩酸にアルミニウムを入れると，あわを出して
とけました。この液体を熱して得られた固体を
塩酸に入れたところ，あわは出ませんでした。
このことから，塩酸に入れたアルミニウムは
どうなったといえるか説明しましょう。

Science WORLD サイエンスワールド

酸性とアルカリ性の 水よう液を混ぜると…

＊リトマス紙の変化では，
水よう液をつけた部分を
白く囲んで表している。

　酸性の水よう液と
アルカリ性の水よう液が
混ざり合うと，たがいの
性質を打ち消し合います。
このようなことを中和と
いいます。

塩酸は （酸性）

青色 ━━━●━赤色
赤色 ━━━◯━色

アルミニウムを
とかす。

水酸化ナトリウムの
水よう液は
（アルカリ性）

青色 ━━━◯━
赤色 ━●━青色

アルミニウムを
とかす。

塩酸と水酸化ナトリウムの
水よう液を混ぜた水よう液

青色 ━━●━
赤色 ━━●━変化しない。

アルミニウムをとかす
はたらきが弱くなる。

中学校3年「中和と塩」で学ぶ内容です。

学んだことを生かして，問題にちょう戦してみましょう。

❶ 5つのビーカーに，それぞれ塩酸，炭酸水，石灰水，食塩水，アンモニア水が入っています。なおきさんは右の図のようにして，5つの水よう液を区別しました。

⑦ 初めにリトマス紙で調べたとき，図の C に区別された水よう液はどれでしょうか。

⑦ C 以外の水よう液を区別するためには，どのような実験をすればよいでしょうか。説明しましょう。

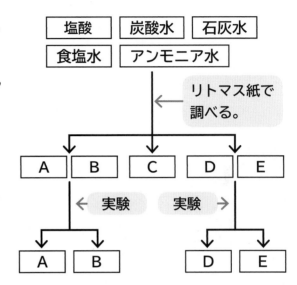

● 中和の利用

群馬県の草津温泉でわき出る湯は，強い酸性です。そのため，草津温泉から流れ出す湯川の水は，強い酸性になっていて，生物がすめず，農業用水にも使えない川でした。

また，コンクリートや鉄をとかしてしまうので，橋などをつくれませんでした。

そこで湯川には，水に混ぜた石灰を入れています。石灰がとけた水はアルカリ性なので，川の水は中和されます。

中和により，湯川とその下流は，魚がすめて，農業用水にも使える川になりました。

このように中和は，生活をよくするためにも利用されています。

鉄くぎを温泉につけておくと，とけてしまう。

鉄くぎ → つける前　5日後　10日後

湯川
水に混ぜた石灰を川に入れている。
群馬県

8 ○○○○○
土地のつくりと変化

私たちは，広大な土地の上で生活をしています。
その地面の下のようすは，がけができたところで見ることが
できます。そのようすを見て気づいたことを話し合いましょう。

しま模様が遠くまで
見えるよ。どこまで
続いているのかな。

群馬県 長野原町

東京都 町田市

模様にちがいがあったり
色にもちがいが…

土地を遠くから
見てみたり，近くで
見たりしてみよう。

1 土地をつくっているもの

? 問題

土地が，しま模様（もよう）に見えるのは
どうしてだろうか。

予想

経験したことや学んだことから予想しましょう。

しま模様は
どのようなものから
できているのかな。

土地をつくっている
ものがちがうから，
しま模様は…

観察1

しま模様に見える土地のようすを
いろいろな方法で調べる。

注意
- がけで観察するときは，大人といっしょに安全に行う。
- しま模様をつくっているものを採取するときは，土のつぶなどが目に入らないように保護めがねをかける。

① がけ全体のようすを見て，調べる。

② それぞれのしま模様をつくっているものや，ふくまれているものを調べる。

── 別の方法 ──

しま模様の見られる場所がないときは，ボーリング試料を使って土地のようすを調べることができる。

[ボーリング試料で調べる]

① 試料のラベルを見て，どのくらいの深さのものか調べる。

② 試料を取り出してから，さわって調べる。

ボーリング試料の標本
標本には，ボーリングをした場所や深さなどが記録されている。

ボーリング調査のようす
大きな建てものを建てる前，地下のようすを調べるために調査する。ボーリング試料からその場所の地下のようすがわかる。

ポイント
ボーリング試料は貴重（きちょう）なものなので，試料の一部をペトリ皿などに移して調べ，調べた後は元にもどしておく。

虫めがねの
使い方は,
214ページ。

虫めがねの使い方は,214ページ。

神奈川県 横須賀市
（かながわ　よこすか）

**野外観察をする
ときの服装**

ぼうし

ナップザック

長そでの服

作業用
手ぶくろ

長ズボン

運動ぐつ

ほかに, ふくろ, 油性ペン,
移植ごて, 虫めがね,
新聞紙, 巻尺,
ティッシュペーパーを
用意する。

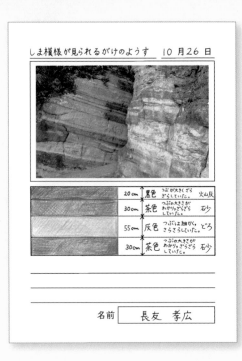

しま模様が見られるがけのようす　10月26日

20cm	黒色	つぶが大きくざら ざらしていた。	火山灰
30cm	茶色	つぶの大きさが わかり,ざらざら していた。	砂
55cm	灰色	つぶは細かく, さらさらしていた。	どろ
30cm	茶色	つぶの大きさが わかり,ざらざら していた。	砂

名前　長友　孝広

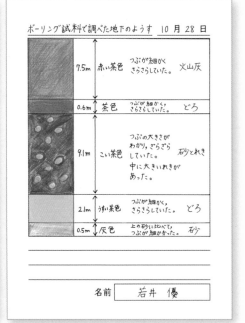

ボーリング試料で調べた地下のようす　10月28日

7.5m	赤い茶色	つぶが細かく さらさらしていた。	火山灰
0.6m	茶色	つぶが細かく, さらさらしていた。	どろ
9.1m	こい茶色	つぶの大きさが わかり,ざらざら していた。 中に大きいれきが あった。	砂とれき
2.1m	うすい茶色	つぶが細かく, さらさらしていた。	どろ
0.5m	灰色	上の砂にくらべて, つぶが細かった。	砂

名前　若井　優

[しま模様をつくっている主なもの]

れきと砂のしま模様　　貝が入った砂とどろのしま模様　　どろと砂のしま模様

れき
ゴマつぶ
程度の
大きさより
大きなもの。

砂
グラニュー糖程度の
大きさのもの。
さわるとざらざら
して，つぶが見える。

どろ
小麦粉程度の
大きさのもの。
さわるとさらさら
して，つぶは見えない。

貝の化石をふくむ砂とどろのしま模様　　　　　　　千葉県 袖ケ浦市

［ しま模様が見られるがけ ］

砂とどろなどでできた
しま模様　　　　　　　千葉県 睦沢町（むつざわまち）

火山灰（かざんばい）（火山からふき出された
もの）などでできたしま模様　　静岡県（しずおか） 沼津市（ぬまづ）

丸みをもったれきが
ふくまれるしま模様　神奈川県（かながわ） 小田原市（おだわら）

穴（あな）の多いれき（火山からふき出された　群馬県（ぐんま） 渋川市（しぶかわ）
もの）などでできたしま模様

　しま模様の中から，動物や植物の一部，動物のすみか，
あしあとなどが見つかることがある。このようなものを**化石**という。

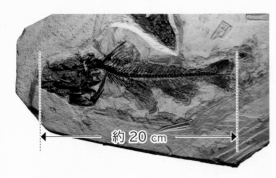

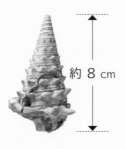

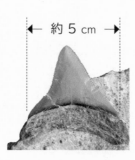

魚の化石
長崎県（ながさき） 壱岐市（いき）

約20cm

貝の化石
岡山県（おかやま） 勝央町（しょうおうちょう）

約8cm

サメの歯の化石
神奈川県（かながわ） 横須賀市（よこすか）

約5cm

木の葉の化石
栃木県（とちぎ） 那須塩原市（なすしおばら）

約5cm

📖 **結果**

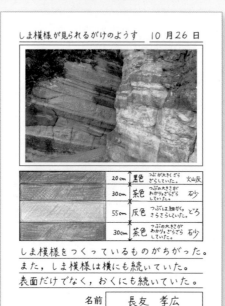

しま模様が見られるがけのようす　10月26日

20cm	黒色	つぶが大きくざらざらしていた。	火山灰
30cm	茶色	つぶの大きさがわかり、ざらざらしていた。	砂
55cm	灰色	つぶは細かく、さらさらしていた。	どろ
30cm	茶色	つぶの大きさがわかり、ざらざらしていた。	砂

しま模様をつくっているものがちがった。
また、しま模様は横にも続いていた。
表面だけでなく、おくにも続いていた。

名前　長友　孝広

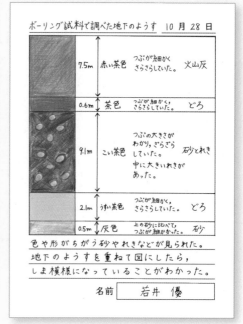

ボーリング試料で調べた地下のようす　10月28日

7.5m	赤い茶色	つぶが細かく、さらさらしていた。	火山灰
0.6m	茶色	つぶが細かく、さらさらしていた。	どろ
9.1m	こい茶色	つぶの大きさがわかり、ざらざらしていた。中に大きいれきがあった。	砂とれき
2.1m	うすい茶色	つぶが細かく、さらさらしていた。	どろ
0.5m	灰色	上の砂に比べて、つぶが細かった。	砂

色や形がちがう砂やれきなどが見られた。
地下のようすを重ねて図にしたら、
しま模様になっていることがわかった。

名前　若井　優

💬 **考察**　結果からいえることを話し合いましょう。

しま模様が
おくまで
続いていたね。

土地をつくって
いるものはつぶの
色や形、大きさで
分けられるんだね。

しま模様に化石が
入っていたり、
火山灰でできた
ものもあったね。

❗ **結論**

土地がしま模様になって見えるのはれきや砂、
どろ、火山灰などが層になって重なっているからである。
また、層には化石がふくまれることもある。

このように、層が重なり合って、
広がっているものを**地層**という。

地層の広がり
同じような地層が
おくに続いて見える。
静岡県 掛川市

博物館を利用しよう！

博物館などでは，その地域（ち いき）で見つかった化石などを
展示（てん じ）して，土地のでき方を解説しています。

マチカネワニの
骨格復元（こっかく）

[地域と化石]

地域で見つかった化石が，街のシンボルに
なっているところがあります。

大阪大学総合学術博物館（おおさか）　　大阪府（おおさか） 豊中市（とよなか）

マチカネワニは，大学や
市内のマンホールの
キャラクターになるなど，
身近で親しまれている。

[体験しよう]

化石のレプリカづくりや採集など
が行われることがあります。

ミュージアムパーク
茨城県（いばらき）自然博物館　　茨城県 坂東市（ばんどう）

化石のレプリカづくり

はぎとられた地層を
説明するようす

2 地層のでき方

🤔 **問 題** 　地層は，どのようにできるのだろうか。

💭 **予 想** 　経験したことや，学んだことから予想しましょう。

丸みを帯びたれきがふくまれる地層　静岡県 磐田市

角ばったれきがふくまれる地層　静岡県 下田市

5年 で学んだこと

流れる水のはたらきによって，川原の石は丸みを帯びているものが多いこと。

川原のれき
天竜川
静岡県 浜松市

川原の石も丸かったから，地層は流れる水によってできているのかな。

[ア]
流れる水のはたらき

角ばったれきがある地層は，流れる水によってできていないと思う。

[イ]
火山のはたらき

［ア］ 流れる水のはたらき

計 画 どのように調べればよいでしょうか。

> 月と太陽の実験のように，川や海などを何かに見立てて，土に水を流すとわかると思う。

> 地層は積み重なってできているから，時間をあけて流したいな。

実 験 **流れる水のはたらきと地層のでき方の関係を調べる。**

① 下の写真のような装置で，砂とどろを混ぜた土を水で静かに流しこむ。

② しばらくそのままにしておく。

③ 続けてもう一度流して積もり方を調べる。

― 別の方法 ―

空きびんを使って実験してもよい。

砂とどろを混ぜたものと水を，びんの容器に入れてふる。ふった後にしばらく置いて積もり方を調べる。

砂とどろを混ぜたもの

とい（川）

水を入れた容器（海など）

バット

結 果

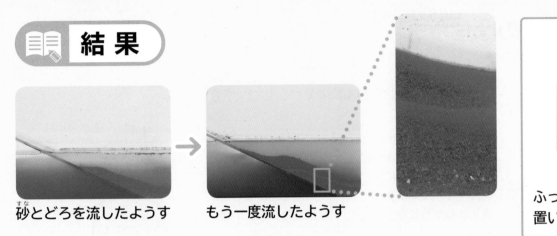

砂とどろを流したようす　　もう一度流したようす

別の方法

ふった後にしばらく
置いたびんのようす

考 察　結果からいえることを話し合いましょう。

つぶの大きさに
よって分かれて
層になったよ。

地層も同じように
川や海などで，流れる
水のはたらきによって
できているんだね。

❶ しん食される

❷ 運ぱんされる

❸ 海底にたい積する

! 結 論

地層は，流れる水によって運ぱんされたれきや砂，どろなどが

海底などに層になって，積み重なってできる。

［イ］火山のはたらき

火山がふん火するときは，火山灰（かざんばい）だけでなく，よう岩がふき出すこともあるよ。

ふん火する火山
2011 年 1 月　新燃岳（しんもえだけ）
鹿児島県（かごしま）霧島市（きりしま）

流れ出したよう岩のようす
1986 年 11 月
三原山（みはらやま）　東京都（とうきょう）大島町（おおしままち）

🔬 **観察 2**　火山のはたらきと地層のでき方の関係を調べる。

［ 博物館などで調べる ］

神奈川県立生命の星・地球博物館（かながわ）
地層の一部をはぎとった地層が
展示（てんじ）されている。　神奈川県　小田原市（おだわら）

［ 火山灰を調べる ］

① 火山灰を皿にとり，
水を加えてよくこする。

② にごり水を捨（す）てる。

③ 水がにごらなくなるまで❶❷を
くり返す。

④ 残ったものをかわかして
から，ペトリ皿に移し，
双眼実体（そうがんじったい）けんび鏡（きょう）などで
観察する。

→ 双眼実体けんび鏡の
使い方は，215 ページ。

結果

火山のふん火のときにふき出された火山灰（かざんばい）などが積もって層（そう）ができる。火山のふん火が何度かくり返されて，地層（ちそう）ができる。
地層には，角ばっているつぶの火山灰や穴（あな）の多いれきなどがふくまれている。

[博物館などで調べると]

火山灰などが
積もってできた地層
東京都（とうきょう）　大島町（おおしままち）

火山灰で
できたがけ
鹿児島県（かごしま）　日置市（ひおき）
一度にたくさんの火山灰が積もると
しま模様（もよう）にならない。

[火山灰を調べると]

けんび鏡（きょう）で見た
火山灰の中のつぶ（10倍）

火山のはたらきで
できた地層の中のれき

火山のふん火のときに
ふき出されたれき

! 結論

地層は，火山のふん火によってできる。

地層は，流れる水のはたらきや火山のふん火によってできる。

　流れる水のはたらきで，海底などにたい積したれきや砂，どろなどの層は，長い年月の間に固まって岩石になることがあります。
　このようにしてできた岩石には，**れき岩**や**砂岩**，**でい岩**があります。

れき岩と砂岩 茨城県 ひたちなか市　**砂岩とでい岩** 高知県 土佐清水市

れき岩
主に，れきからできている岩石

砂岩
主に，砂からできている岩石

でい岩
主に，どろからできている岩石

Science **WORLD** サイエンスワールド　**変形する地層**　中学校で学ぶこと 発展

　地層が海底でたい積してできていくときは，ほぼ水平にたい積していったと考えられています。

　しかし，長い年月の間に大きな力がはたらくと，かたむいたり，曲がったりすることもあります。

曲がった地層 長崎県 長崎市

縦になった地層 神奈川県 横須賀市

中学校 1 年「地層の重なりと過去のようす」で学ぶ内容です。

化石からのメッセージ

どうして海などにいる
生物の化石が，陸で
見られるのかな。

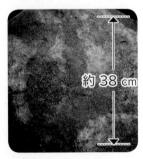

4 cm

アンモナイトの化石

エベレスト山と化石

　海底などにたい積した地層は，長い年月の間に，
大きな力でおし上げられて陸地になることがあります。

　世界一の高さのエベレスト山（8848 m）のある
ヒマラヤ山脈には地層が見られ，アンモナイトなど，
大昔に生きていた海の生物の化石が見つかっています。

　このことから，ヒマラヤ山脈のもとは海底でできた
土地で，そこに大きな力がはたらいて 8000 m 以上の
高さまでおし上げられたことがわかります。

エベレスト山

化石の独り言

魚や貝の仲間などが
すんでいました。

仲間は，しだいに
死んでいき，砂やどろの
中にうずもれました。

長い間に，砂やどろが
その上に積み重なって地層
をつくり，骨などは石の
ようにかたくなりました。

その後，土地がしだいに
おし上げられ，海底の
地層は海の上へ出て陸地に
なりました。

日本各地の生物の化石

● カイギュウ

　1978 年の夏休み中，小学校 6 年の 2 人が
最上川の川底の地層から化石を発見しました。
新しい種類のカイギュウと認められ，
「ヤマガタダイカイギュウ」と名づけられました。

ヤマガタダイカイギュウの骨格復元

● 恐竜

　日本各地で恐竜の化石が
いろいろ見つかっています。

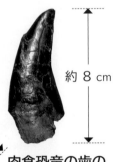

約 52 cm

**ヤマガタ
ダイカイギュウの
頭の化石**
山形県 大江町

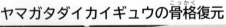

約 8 cm

**肉食恐竜の歯の
化石**
長崎県 長崎市

約 38 cm

**恐竜の足あとの
化石**
熊本県 天草市

❸ 火山活動や地震による土地の変化

？ 問題

火山活動や地震によって，
土地は，どのように変化するのだろうか。

予想

経験したことや学んだことから予想しましょう。

火山のふん火で
土地のようすが…

海底の火山が
ふん火して，
島ができるね。

大きな地震が起こると
津波で被害が
出たりするよ。

大きな地震で，
土砂くずれが
起こったね。

調べる

火山活動や地震による土地の
変化を，いろいろな方法で調べる。

本やコンピュータで調べたり，防災センターなどでくわしい人に聞いたりする。

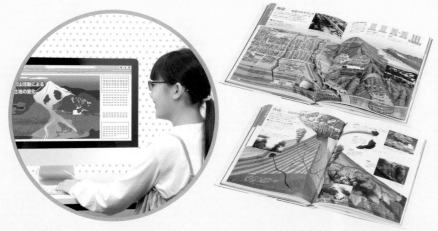

立川防災館　　東京都 立川市

📖 **結 果**

［火山活動による
土地の変化］

ふん火した後の土地のようす
降り積もった火山灰とよう岩がくずれ，
谷や川に沿って流れ，土地のようすを
大きく変えた。

雲仙岳（普賢岳） 長崎県

海底の火山がふん火してできた島　2013年〜
海底の火山のふん火が活発になり，
西之島の南東に新たな島が現れた。
ふん火をくり返し，西之島と陸続きになった後も
活動が続いている。

2013年11月

2017年7月　西之島　東京都

火山のふん火でできた湖やくぼ地
大昔の榛名山のふん火で，カルデラと呼ばれる
広大なくぼ地ができた。後にそのくぼ地に
水がたまって湖になった。　榛名湖　群馬県 高崎市

火口のようす
大きな火口からは，けむりが
立ち上り，火山が活動を続けている。
阿蘇山　熊本県

[地震による土地の変化]

土地に大きな力がはたらき，土地に
ずれ（**断層**）ができるときに，地震が起きます。
　大きな地震のときは，断層が地表に
現れることがあります。

たてにずれた断層　　兵庫県 淡路市
1995 年 1 月に起こった
兵庫県南部地震のとき，地表に断層が現れた。

2016 年 4 月に起こった
平成 28 年熊本地震の
とき，畑が横にずれた。　**横にずれた断層**　　熊本県 益城町

地震によって盛り上がった土地　江の島 神奈川県 藤沢市
（現在のようす）
1923 年 9 月に起こった関東地震のときに，
約 1 m土地が盛り上がった。

地震による土砂くずれ　　宮城県 栗原市
2008 年 6 月に起こった岩手・
宮城内陸地震で，山のしゃ面がくずれた。

2001 年 5 月　　2011 年 3 月 28 日　　宮城県 南三陸町

地震でしずんだ土地
2011 年 3 月に起こった
東北地方太平洋沖地震
によって，宮城県などでは
土地が最大で東南東へ
約 5.3 m 移動し，
約 1.2 m しずんだ。

考察 結果からいえることを話し合いましょう。

よう岩が流れ出たら，土地のようすが大きく変わるね。

大きな地震が起こると，土砂くずれなどで，土地のようすが大きく変わるよ。

！結論

火山活動は，火山灰やよう岩がふき出して土地を大きく変化させたり，新しい土地をつくり出したりする。また，地震によって，土地が盛り上がったりしずんだり，がけがくずれたりして，土地のようすが変化する。

土地の変化は，私たちの生活にどう関係するかな。

TRY! 深めよう

私たちの住む土地のでき方を調べよう！

神奈川県 横須賀市

これまで地層のでき方や土地の変化について学んできました。ふり返って，私たちの住む土地がどのようにしてできているのか調べましょう。

● 防災・減災対策

火山のふん火や地震に備えて，日常生活の中で訓練したり，対策が立てられています。

ひ難訓練のようす　東京都 文京区

地震体験　東京都 新宿区

津波ひ難看板　静岡県 磐田市

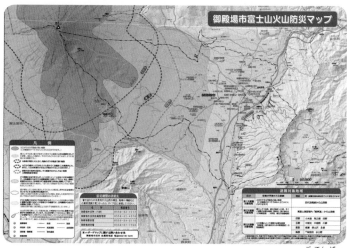

火山防災ハザードマップ　静岡県 御殿場市

災害が起こったときにどうしたらよいか，家族でも話し合おう。

● 自然のめぐみ

火山のふん火や地震は被害だけでなく，昔から生活を豊かにしてきました。地形が変わることでわき水や温泉がわくなど，日本中にさまざまな美しい景観をもたらしています。

温泉　神奈川県 箱根町

土地のつくりと変化について，学んだことを
確かめましょう。

---

❶ 土地はどのような
ものでできている
でしょうか。

千葉県 流山市

熊本県 益城町

❷ 地層はどのようにして
できたのでしょうか。
右の写真のような
地層にふくまれる
ものを手がかりに，
説明しましょう。

⑦

⑦

⑦

❸ 右の岩石の名前は
何でしょうか。

⑦ 主に，砂で
できている。

⑦ 主に，れきで
できている。

⑦ 主に，どろで
できている。

❹ 火山活動や地震で，
土地はどのような
変化をするでしょうか。
説明しましょう。

1986年11月
三原山
東京都 大島町

1930年11月の
地震でずれた断層
静岡県 函南町

**学んだことを生かして，
問題にちょう戦してみましょう。**

❶ 右の図は，道路をつくるために
切り開かれたがけのようすです。
左側のがけのようすは
どのようになっていると
考えられるでしょうか。
また，この土地は，どのように
してできたのでしょうか。
説明しましょう。

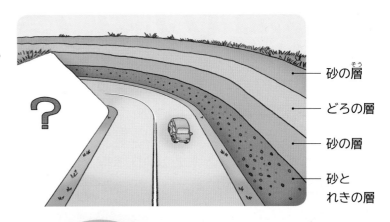

砂の層

どろの層

砂の層

砂と
れきの層

資料
りかの
たまてばこ

チバニアン

約 77 万年前
の地層

ESD　理科と仕事

地層は，流れる水のはたらきや火山のはたらきで
できることを学びました。右の写真は，千葉県市原市に
ある約 77 万年前にできた地層で，「千葉セクション」と
呼ばれています。この地層は，地球の歴史の時代を
分ける国際的な基準の候補になりました。
　約 77 万年前から約 12 万 6 千年前にかけての時代を，
千葉の時代という意味の「チバニアン」と呼ばれる
ことが 2020 年 1 月に決まりました。

千葉県 市原市

　どこにでもありそうなどろのがけに見えるかもしれませんが，世界的に
とても重要な地層です。多くの専門家たちと協力して研究をしていくことで，
科学の歴史に日本の地名が残るような，大変大きな成果が得られました。
　身近にある地層も，よく調べてみると，まだまだ重要な発見があるかも
しれません。研究は，何事もあきらめずに努力を続けていくことで，
将来的に大きな仕事につながっていくことでしょう。

地層の研究者　泉賢太郎 先生

9 ○○○○
てこのはたらき

写真のように，棒を1点で支え，力を加えてものを
持ち上げたり動かしたりするしくみを**てこ**といいます。
てこのはたらきを使うと，重いものを楽に動かせます。
棒をどのように使うと，小さな力で大きな力を出す
ことができるか，気づいたことを話し合いましょう。

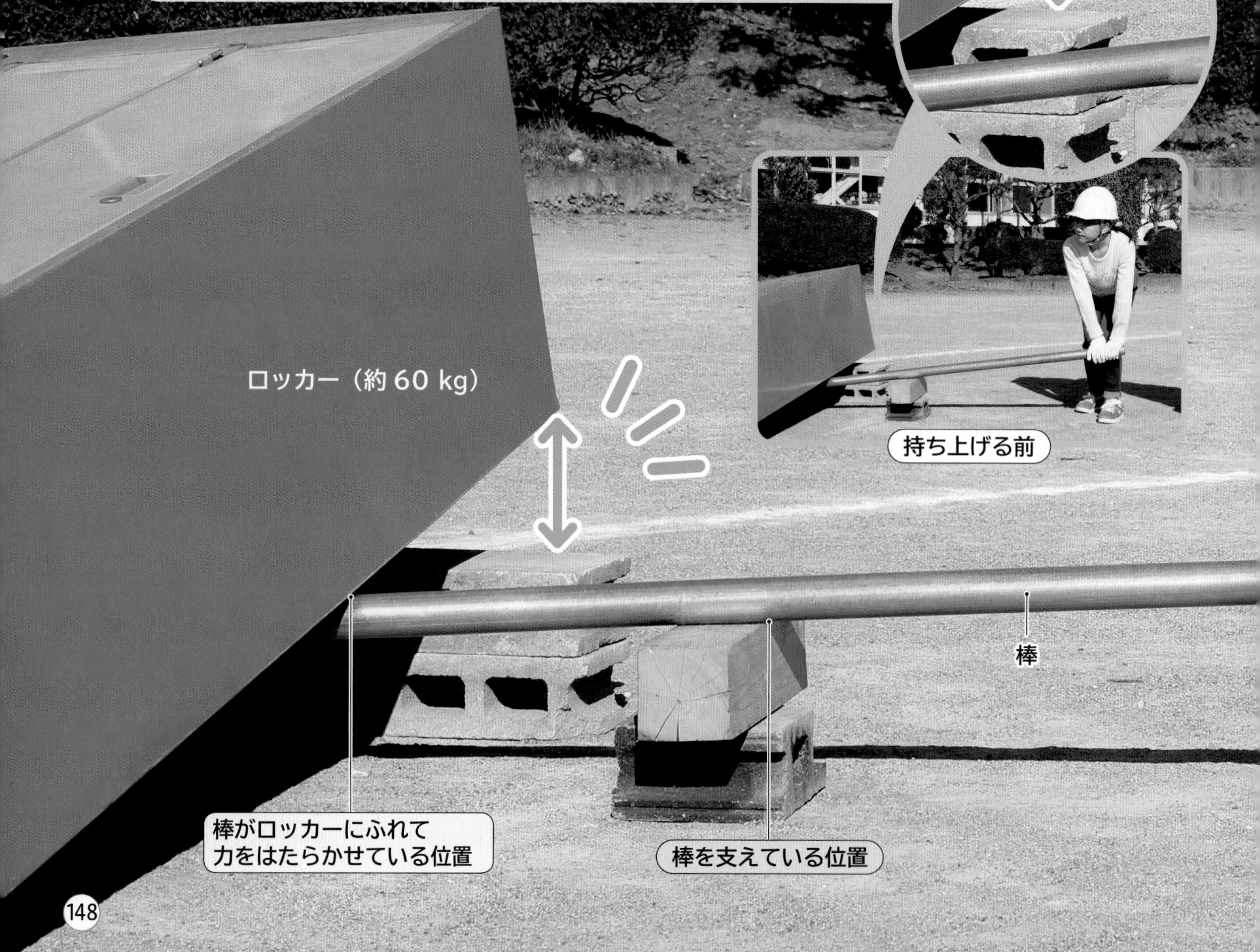

ロッカー（約60 kg）

持ち上げる前

棒がロッカーにふれて
力をはたらかせている位置

棒を支えている位置

棒

楽に持ち上げることが
できたよ。

注意
● 長い棒を使うときは，
　周りの人にぶつからない
　ようにする。
● しっかりと棒をにぎり，
　急に手をはなしたり，横に
　ふったりしてはいけない。

東京消防庁

重いものを持ち上げる前と
持ち上げた後のようすを
よく見てみよう。

棒に力を加えている位置

防災訓練のようす　東京都　日の出町

1 てこのはたらき

　てこには，支点，力点，作用点という
3つの点があります。棒を支えている位置を**支点**，
棒に力を加えている位置を**力点**，棒がものにふれて
力をはたらかせている位置を**作用点**といいます。

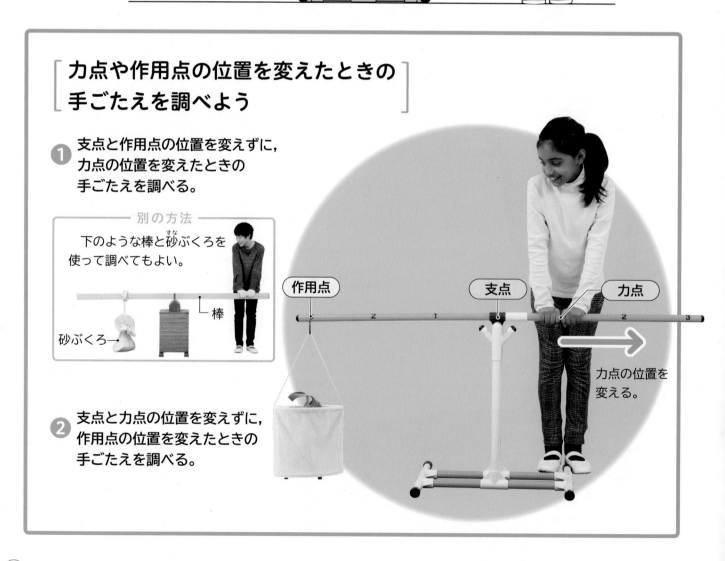

作用点　　支点　　力点

力点や作用点の位置を変えたときの手ごたえを調べよう

❶ 支点と作用点の位置を変えずに，
　力点の位置を変えたときの
　手ごたえを調べる。

別の方法
　下のような棒と砂ぶくろを
使って調べてもよい。

砂ぶくろ　　棒

作用点　　支点　　力点

力点の位置を
変える。

❷ 支点と力点の位置を変えずに，
　作用点の位置を変えたときの
　手ごたえを調べる。

[力点 の位置を変えると…]

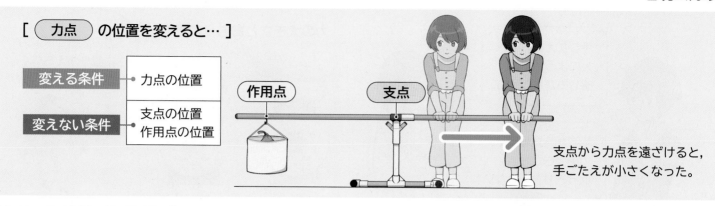

変える条件	・力点の位置
変えない条件	・支点の位置 　作用点の位置

作用点　　支点

支点から力点を遠ざけると、手ごたえが小さくなった。

[作用点 の位置を変えると…]

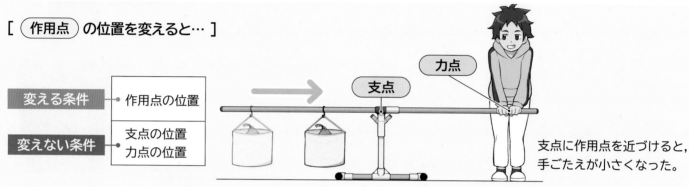

変える条件	・作用点の位置
変えない条件	・支点の位置 　力点の位置

支点　力点

支点に作用点を近づけると、手ごたえが小さくなった。

てこを使ってものを持ち上げるときは、
支点から力点までの長さ（きょり）が長いほど、
支点から作用点までの長さ（きょり）が短いほど、
小さな力でものを持ち上げることができます。

てこのはたらきについて説明するときは、
支点、力点、作用点の言葉を使おう。

資料　りかの
たまてばこ

てこを使うと地球を動かすことができる？

ESD　理科と仕事

　重いものを持ち上げるときにてこを使うと、
小さい力でものを持ち上げることができることが
わかりました。このてこのしくみをくわしく
研究した人物に、今から2000年以上前の
古代ギリシアにいたアルキメデスがいます。
　アルキメデスは、てこのしくみを説明する
ときに、「私に長い棒と支点をあたえよ。
そうすれば地球をも動かしてみせよう。」と
いったと伝えられています。

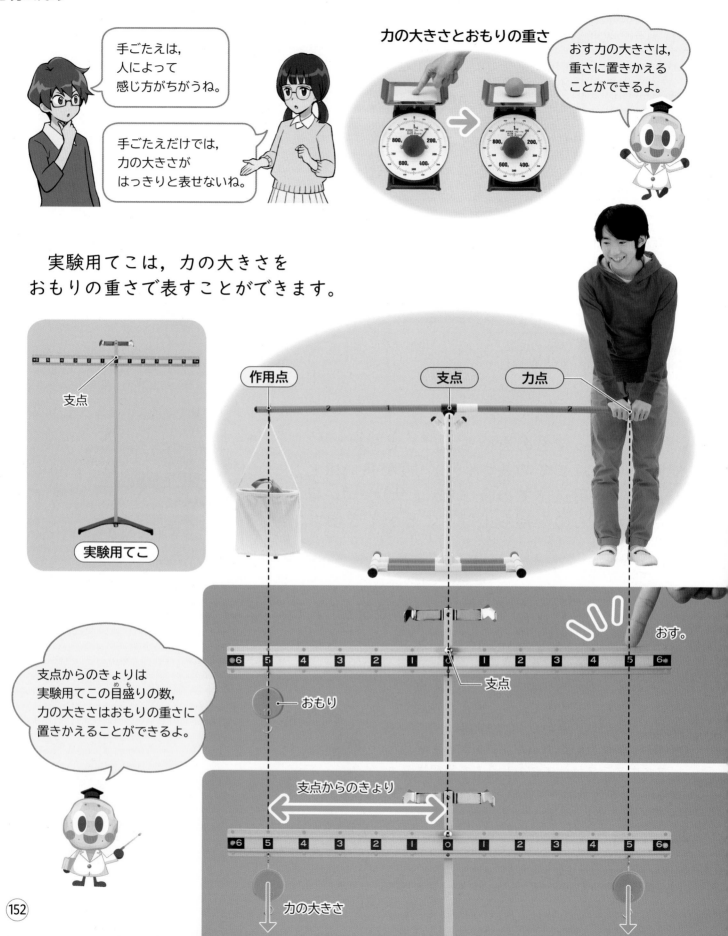

手ごたえは，人によって感じ方がちがうね。

手ごたえだけでは，力の大きさがはっきりと表せないね。

力の大きさとおもりの重さ

おす力の大きさは，重さに置きかえることができるよ。

実験用てこは，力の大きさをおもりの重さで表すことができます。

支点

実験用てこ

作用点　　支点　　力点

支点からのきょりは実験用てこの目盛りの数，力の大きさはおもりの重さに置きかえることができるよ。

支点

おもり

おす。

支点からのきょり

力の大きさ

［ 実験用てこを使って，うでのかたむきを調べよう ］

1 実験用てこの左うでの目盛り2に
おもり1個（10 g）をつるす。

2 右うでの支点に近いほうから順に，おもり1個（10 g）を
つるしていき，うでのかたむくようすを調べる。

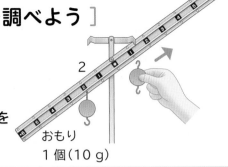

おもり
1個（10 g）

	左うで	右うで
目盛りの数	2	1
おもりの重さ(g)	10	10

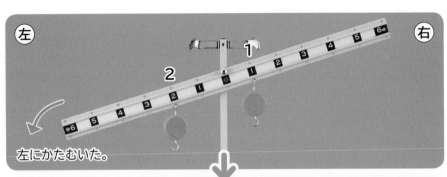

左にかたむいた。

	左うで	右うで
目盛りの数	2	2
おもりの重さ(g)	10	10

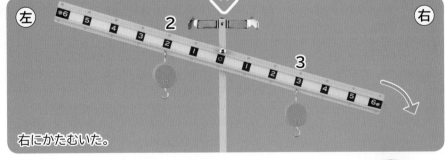

水平になった。

	左うで	右うで
目盛りの数	2	3
おもりの重さ(g)	10	10

右にかたむいた。

　てこのうでは，左右のおもりの位置で
かたむきが変わります。また，水平に
なってつり合うときがあります。
　おもりをつるしたうでが水平になって
いるとき，つり合っているといいます。

実験用てこを使えば，
支点からのきょりと
力の大きさの関係を
正確に調べられそうだね。

？ 問題

実験用てこのうでが水平になってつり合うときは，どのようなきまりがあるのだろうか。

予想

これまでに学んだことなどから予想しましょう。

左右のおもりの重さが同じとき，水平になってつり合ったから，おもりの重さが関係していると思うな。

目盛りの数を変えると，かたむき方が変わったから，目盛りの数が関係していると思うよ。

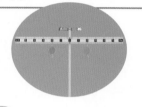

計画

どのように調べればよいでしょうか。

調べる条件だけを変えて，それ以外の条件を同じにすればいいから…

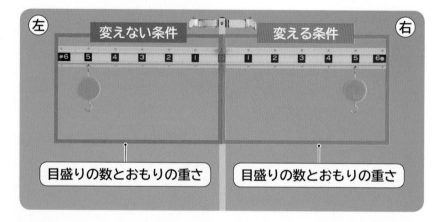

左　変えない条件　　変える条件　右

目盛りの数とおもりの重さ　　目盛りの数とおもりの重さ

目盛りの数とおもりの重さを表にすると，きまりが見つけやすくなると思うよ。

結果

つり合わないときは，×をつける。

目盛りの数	左うで	右うで					
	3	1	2	3	4	5	6
おもりの重さ(g)	20						

目盛りの数	左うで	右うで					
	6	1	2	3	4	5	6
おもりの重さ(g)	10						

実 験

**実験用てこのうでが水平になって
つり合うときのきまりを条件を整えて調べる。**

計画のときに決めた
目盛りの数とおもりの
重さで調べよう。

〈例〉左うでの目盛り3におもり2個(20g)をつるす場合

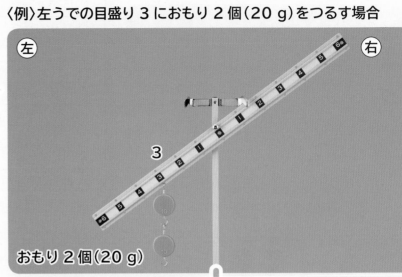

おもり2個(20g)

① 右の写真のように，
左うでの目盛り3の位置に
おもり2個(20g)をつるす。

② 右うでの目盛り1に，おもりを
何個(g)つると，水平になって
つり合うか調べる。
また，右うでの目盛りの数を
変えて，同じように調べる。

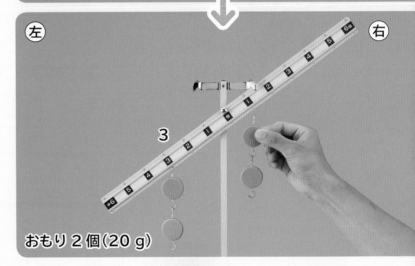

おもり2個(20g)

③ 左うでの目盛りの数やおもりの重さを
変えて，②と同じように調べる。

📖 結果

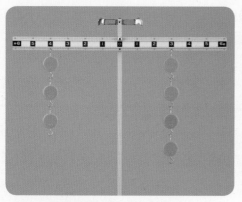

水平になってつり合った。

結果

つり合わないときは，×をつける。

	左うで	右うで				
目盛りの数	3	1	2	3	4	5	6
おもりの重さ(g)	20	60	30	20	×	×	10

	左うで	右うで				
目盛りの数	6	1	2	3	4	5	6
おもりの重さ(g)	10	60	30	20	×	×	10

	左うで	右うで				
目盛りの数	4	1	2	3	4	5	6
おもりの重さ(g)	30	120	60	40	30	×	20

💬 考察　結果からいえることを話し合いましょう。

左うでの 3 × 20 と
右うでの 2 × 30 の
値は同じだね。

予想どおり，
目盛りの数は関係していたよ。
目盛りの数が 2 倍，3 倍，6 倍と
なったとき，おもりの重さは…

	左うで		右うで			
目盛りの数	3	1	2	3	4	5	6
おもりの重さ (g)	20	60	30	20	×	×	10

目盛りの数が支点からの
きょり，おもりの重さが
力の大きさを表していたね。

力の大きさと支点からの
きょりの積が等しくなると，
左右のうでは…

算数で学ぶこと

2 つの量 x と y があって，x の値が
2 倍，3 倍，…になると，それにともなって，
y の値が $\frac{1}{2}$ 倍，$\frac{1}{3}$ 倍，…になるとき，
y は x に反比例するという。

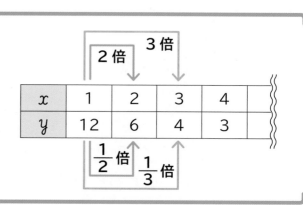

x	1	2	3	4
y	12	6	4	3

結論

結論

実験用てこのうでが水平になってつり合っているときは、左右のうでで下の関係が成り立つ。

てこをかたむけるはたらき		てこをかたむけるはたらき	
左うでの力の大きさ（おもりの重さ）	左うでの支点からのきょり（目盛りの数）	右うでの力の大きさ（おもりの重さ）	右うでの支点からのきょり（目盛りの数）

（左うでの力の大きさ × 左うでの支点からのきょり）＝（右うでの力の大きさ × 右うでの支点からのきょり）

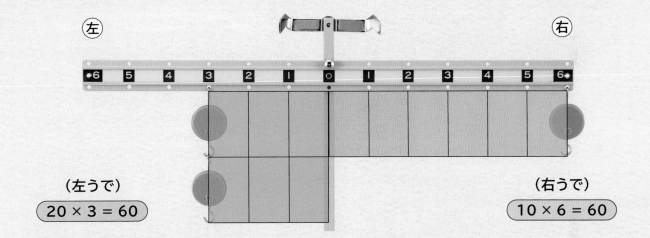

⑥ 5 4 3 2 1 ○ 1 2 3 4 5 ⑥

（左うで）
20 × 3 = 60

（右うで）
10 × 6 = 60

実験用てこの支点から等しいきょりに、等しい重さのおもりをつるしたとき、左右のうでは水平になってつり合う。

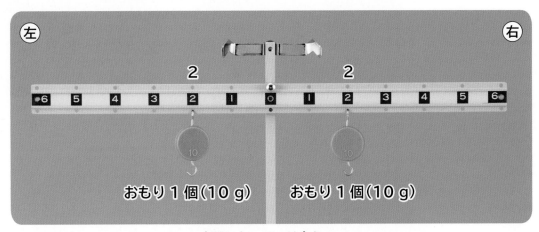

おもり1個（10g）　　おもり1個（10g）

水平になってつり合う。

上皿てんびんとてんびんの歴史

ものの重さをはかる上皿てんびんは，うでのつり合いを利用しています。うでが支える2つの皿は，支点から同じきょりのところにあります。このため，水平になってつり合っているとき，一方の皿にのせたものの重さは，もう一方の皿にのせた分銅の重さからわかるのです。

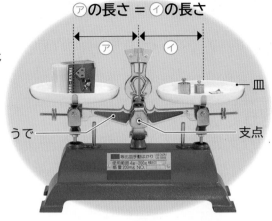

㋐の長さ＝㋑の長さ

㋐　㋑　皿　うで　支点

上皿てんびんのようにつり合いを利用したはかりは，正確に重さをはかることができるため，昔から世界中で使われてきました。
　例えば，古代エジプトの巻物や昔の人々の生活をかいた絵画にもてんびんが登場します。

古代エジプトの巻物

日本でも江戸時代に，今の銀行の役目をした両がえ商がてんびんを使って銀貨などの重さをはかっていました。
　地図では，銀行を⚲の記号で表します。これは当時のてんびんの分銅の形がもとになったといわれています。

文京区

卍　㋓　○○銀行　大塚三　〒　卍　大塚(二)　大塚(三)　小学校

地図の記号

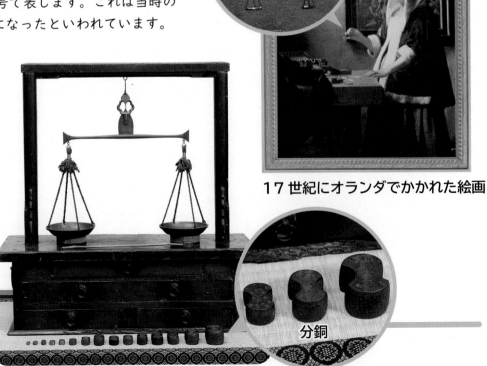

17世紀にオランダでかかれた絵画

江戸時代のてんびん
千葉県 千葉市

分銅

! 結論

てこのはたらきを利用した道具は
身の回りにたくさんあり，生活を
便利にしている。また，道具によって
支点，力点，作用点の位置はちがう。

| 作用点 | 支点 | 力点 |

TRY!
**作って
みよう**

つり合いを利用した
おもちゃを作ってみよう!

糸につり下げる
ストローの数を増やして
作ってみたいな。

● モビール

紙

① 紙を重ねて，
形を切りぬく。

セロハンテープ

クリップ　ストロー　　糸

② 切りぬいた紙を
2枚使って，
左の図のようにして
水平につり合わせる。

支点を動かして，
つり合わせる。

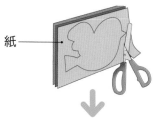

③ さらにストローを
もう1本使って，
左の図のようにして
水平につり合わせる。

②で作った部分

❶ 右の写真のように、くぎぬきを使ってくぎをぬきました。
㋐ このくぎぬきの支点、力点、作用点はどこでしょうか。
㋑ Ⓐ と Ⓑ のどちらを持つと、写真のときより小さな力で、
くぎがぬけるでしょうか。また、**支点**、**力点**、**作用点**の
3 つの言葉を使って、理由も説明しましょう。

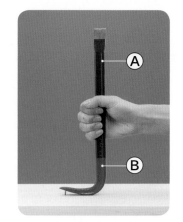

❷ □□□□ に当てはまる言葉を入れて、実験用てこのうでが
水平になってつり合うときのきまりをまとめましょう。

左うでの □□□□ × 左うでの □□□□ = 右うでの □□□□ × 右うでの □□□□

❸ 下の実験用てこは、右と左のどちらにかたむくでしょうか。

　　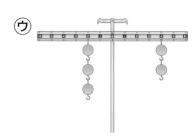

❶ 紙をはさみで切るとき、右の写真の
㋐ と㋑のどちらのほうが小さな力で
切ることができるでしょうか。また、
支点、**力点**、**作用点**の 3 つの言葉を
使って、理由も説明しましょう。

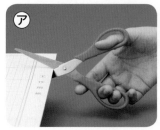　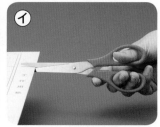

身の回りの輪軸

　右の写真のような道具を，輪軸といいます。輪軸は，てこのようにものを持ち上げたり，動かしたりする道具です。

　輪軸もてこと同じように小さな力で大きな力を出すことができます。輪軸を利用した身の回りのものを探してみましょう。

じゃ口の取っ手

ドアノブ

支

力

作

作

力

支

水車

水でおされるところ

力

きね

作

支

うす

心棒

深大寺水車館　東京都 調布市

4枚の輪が軸で固定されていて，おもりをつるすと4枚がいっしょに回る。

軸（支点）

1　　4

10 g

40 g

左うで 40 × 1 = 40	右うで 10 × 4 = 40

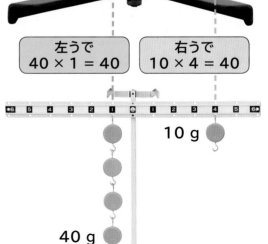

10 g

40 g

163

10 ○○○○ 私たちの生活と電気

電気は私たちの生活の中でたくさん
使われ，欠かすことができません。
身の回りで使われている電気について，
気づいたことを話し合いましょう。

家の中の
いろいろな
ところで電気が
使われているね。

家の中

私たちが生活の中で利用している
電気の多くは，発電所でつくられます。

[私たちに電気が届くまで]

火力発電所
愛知県 名古屋市

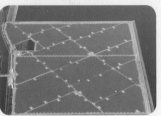

水力発電所
群馬県 利根郡

風力発電所
静岡県 浜松市

太陽光発電所
大分県 大分市

送電線

工場

学校

家

電気が使われて
いるようすを
よく見てみよう。

電気をつくったり，
ためたりしているね。

町の中

1 つくる電気・ためる電気

? 問題　つくったりためたりした電気は，かん電池の電気と同じようなはたらきをするのだろうか。

予想　これまでに学んだことや経験したことから予想しましょう。

かん電池で豆電球に明かりをつけたように，発電所でつくられた電気を使って照明の明かりをつけるから…

災害時用の機器

災害時にハンドルを回してつくってためた電気で明かりをつけたことがあるから…

計画　どのように調べればよいでしょうか。

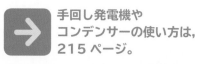
手回し発電機やコンデンサーの使い方は，215 ページ。

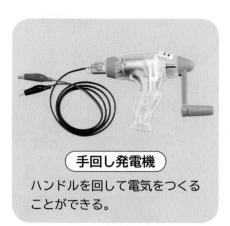
手回し発電機
ハンドルを回して電気をつくることができる。

光電池
光を当てて電気をつくることができる。

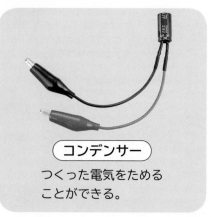
コンデンサー
つくった電気をためることができる。

実験1　つくった電気やためた電気が，かん電池の電気と同じようなはたらきをするのかいろいろな方法で調べる。

① 右の図のように手回し発電機に
豆電球やモーターをつなぎ，
ハンドルの回す速さを変えた
ときのようすを調べる。

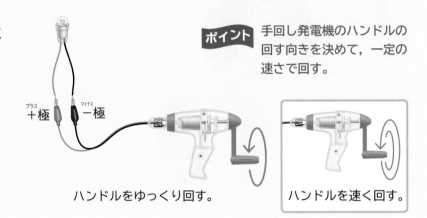

ポイント　手回し発電機のハンドルの
回す向きを決めて，一定の
速さで回す。

＋極　－極

ハンドルをゆっくり回す。　　ハンドルを速く回す。

② 右の図のように光電池に
豆電球やモーターをつなぎ，
光電池への光の当て方を
変えたときのようすを調べる。

おす。

光電池

半とうめいのシート

電灯　　光を弱く当てる。　　光を強く当てる。

③ 右の図のように手回し発電機に
コンデンサーをつなぎ，電気を
ためる。コンデンサーに豆電球や
モーターをつないだときの
ようすを調べる。

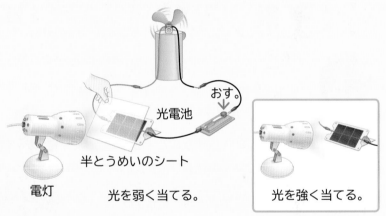

コンデンサー

＋たんし　－たんし
＋極　　　－極

－たんし

＋たんし

ハンドルを10秒間回す。

ポイント　電気をためるときは，手回し発電機の
＋極にコンデンサーの＋たんし，
－極に－たんしをつなぐ。

📖 結果

豆電球

結果

手回し発電機につないだとき

	ハンドルをゆっくり回す。	ハンドルを速く回す。
豆電球	明かりがついた。	ゆっくり回したときよりも明るく明かりがついた。
モーター	回った。	ゆっくり回したときよりも速く回った。

光電池につないだとき

	光を弱く当てる。	光を強く当てる。
豆電球	明かりがついた。	弱く当てたときよりも明るく明かりがついた。
モーター	回った。	弱く当てたときよりも速く回った。

コンデンサーにためた電気で、豆電球に明かりをつけたり、モーターを回したりすることができた。

🗨 考察　結果からいえることを話し合いましょう。

> 豆電球がより明るくなったり、モーターが速く回ったりしたのは、電流の大きさが大きくなったからだね。

> 予想どおり、つくったりためたりした電気は、かん電池と…

4年 で学んだこと

● 回路を流れる電気のことを電流という。
● 電流の大きさが変わると、豆電球の明るさや、モーターの回る速さが変わる。

！ 結論

　手回し発電機と光電池でつくった電気やコンデンサーにためた電気は、かん電池の電気と同じはたらきをする。

　手回し発電機のハンドルを速く回したり、光電池に光を強く当てたりすると、電流の大きさが変わる。

　電気は、つくったりためたりすることができる。

② 身の回りの電気の利用

❓ 問題

電気は，どのようなものに変わる性質があるのだろうか。

💭 予想

これまでに学んだことなどから予想しましょう。

3年のとき，豆電球に明かりをつけた。これは電気を…

4年のとき，モーターを回した。これは電気を…

📖 調べる

電気は，どのようなものに変わる性質があるのか，いろいろな方法で調べる。

① 手回し発電機に，発光ダイオードや発熱を調べる装置などをつなぎ，電気は，どのようなものに変わる性質があるのか調べる。

② 身の回りの電気製品では，電気は，どのようなものに変わる性質があるのか調べる。

注意

● 電熱線は熱くなるので，冷めるまでさわらない。
● 液しょう温度計が示せるはん囲をこえたら，発熱を調べる装置を手回し発電機から外す。

ポイント

手回し発電機のハンドルの回す向きを決めて，一定の速さで回す。

発光ダイオードの光らせ方

＋極へ
－極へ

発光ダイオードは，＋極と－極の線が決められている。逆につなぐと光らない。

発熱を調べる装置

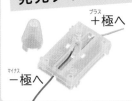

（表側）液しょう温度計　　（裏側）電熱線

電熱線の温度変化を調べることができる。

169

📖 結果

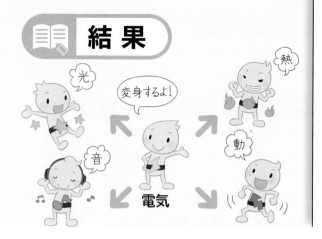

光　変身するよ！　熱

音　電気　動

【結果】

・手回し発電機に発熱を調べる装置を
　つないでハンドルを回すと，発熱した。

・手回し発電機に発光ダイオードをつないで
　ハンドルを回すと，明かりがついた。

・テレビは，電気を光や音に変えて
　利用していた。

・せん風機は，電気を動きに変えて
　利用していた。

💬 考察　結果からいえることを話し合いましょう。

結果	身の回りの電気製品
電気製品	どのようなものに変えているか。
照明	光
テレビ	光，音
ドライヤー	熱，動き
せん風機	動き

電気は，熱や動きなどに変えることができるね。

テレビのように，電気を光と音の2つに変えて利用している電気製品もあったよ。

❗ 結論

- -

電気は，光，音，熱，動き（運動）に変わる性質がある。

- -

　私（わたし）たちは，電気を光，音，熱，運動などに
変える道具を身の回りで利用している。

身の回りの電気製品は，それぞれの使う目的に合わせて，電気を変えているんだね。

電気の利用

● 電気の移り変わり

　光，音，熱，運動などに変えることができる電気は
電球，ブザー，ドライヤー，モーターなどいろいろな
身の回りのものに利用されていることを学びました。

　一方，光，音，熱，運動などを電気に変えることも
できます。例えば，光電池は，光を電気に変えています。
熱（温度の差）を電気に変える器具もあります。

　また，モーターを回すと電気をつくることができます。
このしくみを利用したのが発電機です。

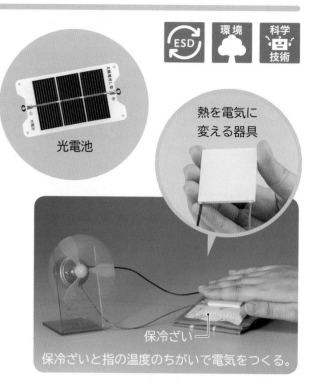

光電池

熱を電気に
変える器具

保冷ざい

保冷ざいと指の温度のちがいで電気をつくる。

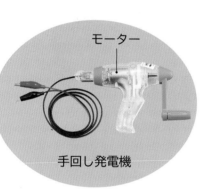

モーター

手回し発電機

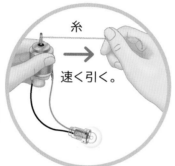

糸

速く引く。

モーターに豆電球をつなぎ，
糸でモーターを回すと電気を
つくることができる。

● タービンを回してつくる電気

　手回し発電機がハンドルを回すことで電気をつくる
ように，火力発電所は，タービンを回すことで電気を
つくっています。これは，水力発電所，風力発電所でも
利用されています。

　火力発電所でつくられた電気は，日本の家庭や
工場などで使われる電気の多くの割合をしめています。
火力発電は，必要に応じてつくる電気の量を調節
できることが大きな利点です。

　しかし，燃料に石油，石炭，天然ガスなどが使われる
ことが多く，燃やした後に有害なものが出てしまいます。
そのため，有害なものを大気中に出さない対策が
とられています。

送られてきた水蒸気がタービンを回す。

タービン

水蒸気

発電機

水

水蒸気を
冷やす水

ボイラー
水が熱せられて水蒸気に変わる。
燃料は，石油，石炭，天然ガスなど。

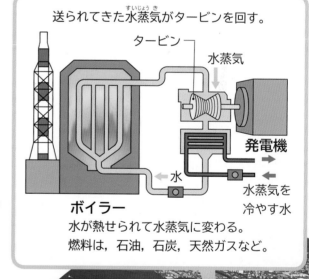

火力発電所　千葉県 袖ケ浦市

3 使う電気の量とはたらき

? 問題　豆電球と発光ダイオードで,
使う電気の量にちがいがあるのだろうか。

予想　これまでに学んだことや経験したことから予想しましょう。

発光ダイオードにつないで
ハンドルを回したとき,
豆電球よりも手ごたえが
軽かったから…

信号機が
電球から発光ダイオードに
変わっていたよ。

どちらも明かりをつける
はたらきがあるから,
使う電気の量にちがいは
ないと思うよ。

計画　どのように調べればよいでしょうか。

同じくらいの量の
電気を流して比べると
いいと思うよ。

コンデンサー

電気の量を
同じにするために,
コンデンサーを
使うのはどうかな。

変える条件	電気をためた コンデンサーにつなぐもの	豆電球	発光ダイオード
変えない条件	コンデンサーにためる 電気の量	手回し発電機のハンドルを 一定の速さで 30 秒間回す。	

→ 手回し発電機や
コンデンサーの
使い方は,
215 ページ。

実験2 　豆電球と発光ダイオードの明かりの　ついている時間を条件を整えて調べる。

① 右の図のように，手回し発電機に
コンデンサーをつなぎ，電気をためる。
電気をためたコンデンサーに豆電球を
つなぎ，明かりのついている時間を
はかる。これをくり返し3回調べる。

ポイント

● 手回し発電機のハンドルの回す向きを
　決めて，一定の速さで回す。
● 電気をためるときは，手回し発電機の
　＋極にコンデンサーの＋たんし，
　－極に－たんしをつなぐ。

② ①と同じようにして，手回し発電機に
コンデンサーをつなぎ，電気をためる。
電気をためたコンデンサーに
発光ダイオードをつなぎ，
明かりのついている時間をはかる。
これをくり返し3回調べる。

コンデンサー

プラス
＋たんし　　マイナス－たんし
＋極　　　　－極

ハンドルを30秒間回す。

－たんし

＋たんし

－極

＋極

－たんし

＋たんし

明かりのついている
時間に差があると
わかったら，
はかるのをやめよう。

📖 結　果

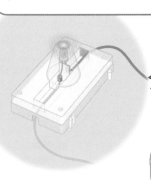

| 結果 |

明かりのついていた時間

	1回目	2回目	3回目
豆電球	34秒	35秒	32秒
発光ダイオード	3分以上	3分以上	3分以上

💬 考　察　結果からいえることを話し合いましょう。

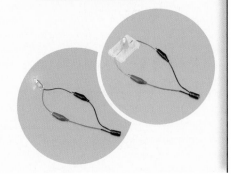

明かりのついていた時間は，発光ダイオードのほうが，長かったから…

発光ダイオードのほうが，豆電球よりも使う電気の量が…

ものによって，使われる電気の量はちがったね。

発光ダイオードを使うと，電気を効率的に利用することができるね。

❗ 結　論

豆電球と発光ダイオードでは，使う電気の量がちがう。

豆電球よりも発光ダイオードのほうが，使う電気の量は少ない。

TRY!
作って
みよう

風力発電機を作ってみよう!

風のはたらきで
モーターを回して,
発光ダイオードの
明かりをつけましょう。

発光
ダイオード

プロペラ

発電用
モーター

風力発電の
しくみだね。

資料
りかの
たまてばこ

電気をためる技術

ESD　環境　科学技術

　電気をコンデンサーよりも多くためることができるものにじゅう電池があります。
じゅう電池は,けい帯電話や電気自動車,街灯など,さまざまなところで使われています。

　風力発電や太陽光発電は,限りある地球の資源である石油,石炭などを燃やさなくても電気をつくることができます。

　しかし,風力発電では風がふかないとき,太陽光発電では日光が当たらないときは,電気をつくることができません。そのため,つくった電気をためる技術がとても大切です。

じゅう電池

コンセントに
さして
じゅう電する。

じゅう電池

けい帯電話　じゅう電池

電気自動車　東京都 墨田区

　じゅう電池は,技術が進んだことで,ますます小さくなり,使える時間も長くなってきました。
また,値段も安くなってきています。これからも,電気をためる技術は進んでいくことでしょう。

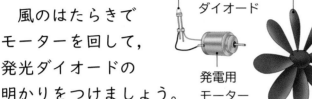

光電池

じゅう電池

じゅう電池や光電池が
使われているし設

千葉県 柏市　停電になっても,光電池でつくった
電気やじゅう電池にためた電気など
を使うことができる。

175

プログラミングを体験してみよう！

電気は，私たちの生活に欠かすことができません。電気をむだなく使うことが大切です。

身の回りの電気製品の多くは，コンピュータを使って，電気を効率よく利用しています。

コンピュータは，人が指示をすることで動きます。この指示をプログラムといい，指示をつくることをプログラミングといいます。

> 暗くなると自動的に明かりがつく街灯は，効率がいいね。

> どのようなしくみで明かりがつくのかな。

昼　夜

街灯のようす

千葉県 大多喜町

多くの街灯には，明るさセンサーがついています。明るさセンサーを使うと，暗いときに明かりをつけ，明るいときに明かりを消すことができます。

> 明るさや人の動きなどを感知する装置のことを英語でセンサー（sensor）というよ。

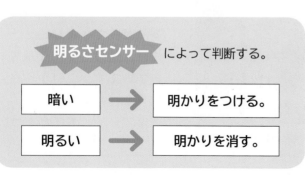

明るさセンサー によって判断する。

暗い	→	明かりをつける。
明るい	→	明かりを消す。

> センサーを使って，プログラミングをしてみたいな。

右のセンサーを使って，暗いときだけ明かりがつくようになるプログラミングをしましょう。

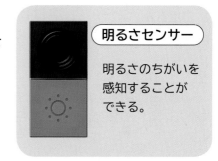

明るさセンサー

明るさのちがいを感知することができる。

[暗いときだけ明かりがつく発光ダイオード]

明るさセンサーによって，スイッチが入るような回路をつくればいいから…

① 右の写真のような回路をつくり，明るさセンサーを近くに置く。

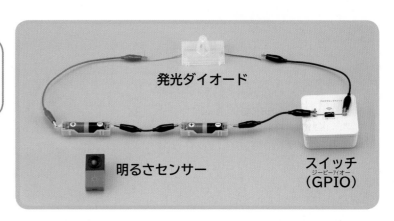

発光ダイオード

明るさセンサー

スイッチ（GPIO）

② コンピュータを使って，暗いときだけ明かりがつくようにプログラミングをする。

右の図は，
「暗くなるとスイッチが入る。」
「明るくなるとスイッチが切れる。」
というプログラムの例だよ。

● プログラムの例

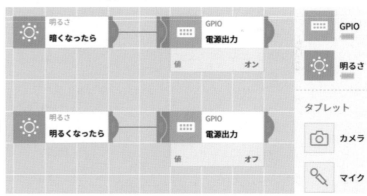

③ 考えたとおりに動くか確かめる。

明かりがつく。

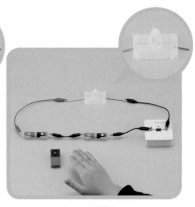
明かりが消える。

次は，２種類のセンサーを使って
プログラミングをしましょう。

暗くなるときと人が通るときの
２つの条件がそろったときだけ，
明かりがつくようにしたいな。

人感センサー

人の動きを
感知することが
できる。

［ 暗くなって人が通ったときだけ
明かりがつく発光ダイオード ］

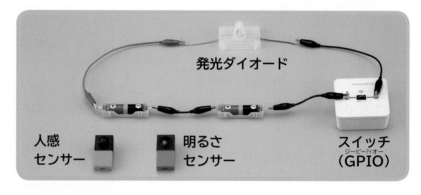

発光ダイオード

人感
センサー　　　明るさ
　　　　　　　センサー　　　スイッチ
　　　　　　　　　　　　　　（GPIO）

❶ 右の写真のような回路をつくり，
人感センサーと明るさセンサーを
近くに置く。

❷ コンピュータを使って，暗くなって
人が通ったときだけ明かりが
つくようにプログラミングをする。

● **プログラムの例**

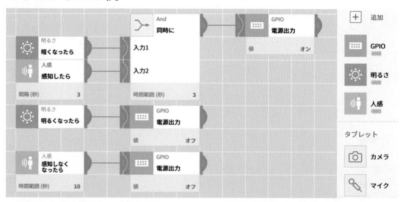

❸ 考えたとおりに動くか確かめる。

部屋を暗くして人感センサーの
前を通ると，明かりがつくか
確かめてみよう。

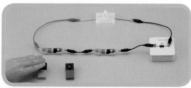

一方のセンサーを反応させる
だけでは，明かりがつかない。

両方のセンサーを
反応させると，明かりがつく。

身の回りのどのようなところにプログラミングが
利用されているか調べて発表しましょう。

エスカレーターに
人感センサーが使われて
いることがわかりました。

調べたもの
人が近づくと動くエスカレーター

人感センサー

使われていたセンサー
人感センサー

人が通る。 → 動く。

人が通らない。 → 止まる。

わかったこと
人が通るときと通らないときの
動き方を変えることで，使う
電気の量を減らすことができる。

電気を効率よく利用できる
ように，プログラムが
くふうされているんだね。

身の回りを探してみると，
ほかにもプログラムを利用
しているものがありそうだね。

プログラミングを
体験できる機器は
ほかにもたくさんあるよ。

私たちの生活と電気について,
学んだことを確かめましょう。

❶ 右の写真の器具は,
電気のどのような性質を
利用したものでしょうか。
説明しましょう。

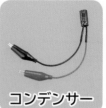
手回し発電機

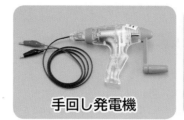
コンデンサー

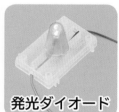
発光ダイオード

❷ 右の写真は,光電池とモーターを組み合わせた
ソーラーカーです。このソーラーカーは,
何が何に変わることで動くか説明しましょう。

光電池
モーター
ソーラーカー

学んだことを
生かそう

学んだことを生かして,
問題にちょう戦してみましょう。

❶ 信号機は,電球を使っているものから発光
ダイオードを使っているものに変わって
きています。その理由を説明しましょう。
　また,雪が多く降る地域では,電球の
信号機の場合,雪をとかすことにも,
役に立っています。これは電気が何に
変わる性質を利用しているのでしょうか。

電球の信号機

発光ダイオードの信号機

❷ 身の回りの
電気製品の動作を
右の例にならって
表してみましょう。

おしボタン式歩行者用信号機の例

ボタンが
おされる。 → 車両用の信号を
赤色にする。 → 歩行者用の信号を
青色にする。 → 30秒間
そのまま。

電気の使い方と地球の資源

私たちの生活は，電気を使えなかった時代と比べ，とても便利になりました。明かりや料理，仕事，遊びなど多くのことに電気を使うようになり，日本で1年間に使う電気の量は，50年前の約6倍に増えています。

私たちは，未来のために地球環境を守りながら限りある地球の資源を有効に利用していかなければなりません。

そのため，燃料を使わない太陽光発電と風力発電などの利用や，使う電気の量が少ない発光ダイオードのディスプレーの利用が増えてきました。また，使われた電気の量が自動的に記録できるスマートメーターなどを利用することで，使う電気の量が調節しやすくなります。

さまざまなくふうの結果，使う電気の量が少しずつ減ってきています。このように，科学技術は，とても役に立っています。

私たちにもできることを考えていきましょう。

日本で1年間に使う電気の量の変化

エネルギー白書2017（経済産業省 資源エネルギー庁）

スマートメーターの設置　風力発電所

神奈川県 横浜市

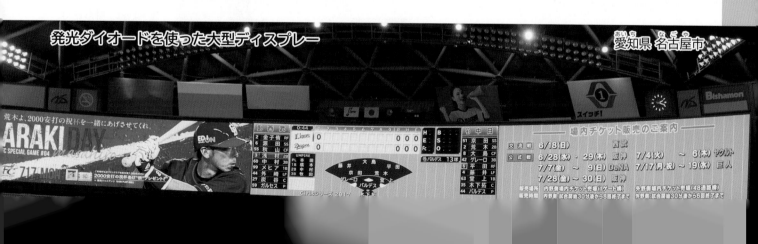

発光ダイオードを使った大型ディスプレー　愛知県 名古屋市

これまでに学んだ電気の性質やはたらき

❶ これまでに学んだ電気の性質やはたらきについて，確にんしましょう。

電気の通り道 ・・・・・・・・・・・・・・・・・・・・〈3年〉

　（ 回路 ）＝1つの輪になっている
　　　　　　電気の通り道のこと。

電池のはたらき ・・・・・・・・・・・・・・・・・〈4年〉

　（ 電流 ）＝回路を流れる電気のこと。
　　　　　　＋極から－極に向かって流れる。

　（ 直列つなぎ ）＝かん電池2個をちがう極どうしで
　　　　　　　　　つなぐつなぎ方のこと。

　（ 並列つなぎ ）＝かん電池2個を同じ極どうしで
　　　　　　　　　つなぐつなぎ方のこと。

直列つなぎ　　　並列つなぎ

かん電池2個のつなぎ方によって，
豆電球の明るさやモーターの回る
速さが変わったね。

❷ 下のような回路のかん電池のつなぎ方や回路につなぐものを
変えたときのようすを比べましょう。

回路につなぐもの

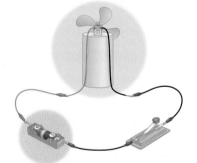

かん電池　　　　スイッチ

3年から5年までに
学んだことをふり返り
ながら，6年で学んだ
ことにつなげよう。

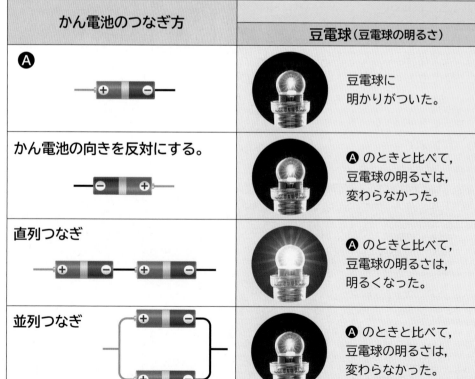

かん電池のつなぎ方	豆電球（豆電球の明るさ）
Ⓐ	豆電球に明かりがついた。
かん電池の向きを反対にする。	Ⓐのときと比べて，豆電球の明るさは，変わらなかった。
直列つなぎ	Ⓐのときと比べて，豆電球の明るさは，明るくなった。
並列つなぎ	Ⓐのときと比べて，豆電球の明るさは，変わらなかった。

- 電気の通り道 ……… 〈3年〉
- 電磁石の性質 ……… 〈5年〉
- 電池のはたらき ……… 〈4年〉
- 私たちの生活と電気 …〈6年〉

電磁石の性質 ……………………………………… 〈5年〉

【電磁石】＝コイルの中に鉄心を入れて電流を流すと，磁石のようなはたらきをするもの。

私たちの生活と電気 ……………………… 〈6年〉

- 電気は，つくったりためたりすることができる。
- 電気は，光，音，熱，運動などに変わる性質がある。
- 豆電球よりも発光ダイオードのほうが，使う電気の量が少ない。
- 身の回りには，電気の性質やはたらきを利用した道具がある。

イルミネーション　東京都 多摩市

光電池

光電池　妙典駅　千葉県 市川市

下の表を見て
気づいたことを
伝え合ってみよう。

回路につなぐもの

モーター（モーターの回る速さや向き）		電磁石（電磁石の極や強さ）	
	モーターが回った。	 N ─── S	50回巻
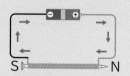	Ⓐのときと比べて，モーターの回る速さは，変わらなかった。モーターの回る向きは，逆になった。	S ─── N	Ⓐのときと比べて，電磁石の強さは，変わらなかった。
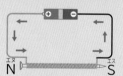	Ⓐのときと比べて，モーターの回る速さは，速くなった。モーターの回る向きは，変わらなかった。	N ─── S	Ⓐのときと比べて，電磁石の強さは，強くなった。
	Ⓐのときと比べて，モーターの回る速さは，変わらなかった。モーターの回る向きは，変わらなかった。	N ─── S	Ⓐのときと比べて，電磁石の強さは，変わらなかった。

183

1992年のいたち川　神奈川県 横浜市

11 ○○○○

生物と地球環境

　写真の川では，災害を防ぐために護岸工事をしました。
しかし，その後再び工事をして川底をほり，
その土を両岸に盛って，現在の川になりました。
　川のようすについて，気づいたことを話し合いましょう。

2017 年のいたち川

左の写真のときと比べて，緑が多い川になっているよ。

土を盛ることで，植物が再び育つことができるようになったんだね。

川の環境は，人だけでなくほかの生物の生活にもえいきょうするんだね。

生物と地球環境とのさまざまな関わりについて見てみよう。

1 生物と環境（水・空気・ほかの生物）との関わり

地球上の水は，蒸発して水蒸気となり，
空気中にふくまれていきます。

雲

雨

4年で学んだこと

水は，水面や地面から
蒸発し，水蒸気になって
空気中にふくまれる。

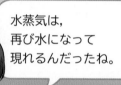
水蒸気は，
再び水になって
現れるんだったね。

自然の中ですがたを
変える水と，
生物はどのように
関わっているのかな。

？ 問題 地球上の水は，すがたを変えながら，
生物とどのように関わっているのだろうか。

予想 経験したことや学んだことから予想しましょう。

人は生活の
いろいろな
場面で水を
利用しているね。

その水は，川などから
きているよね。また
自然の中にもどって，
蒸発していくのかな。

186　博多祇園山笠の勢い水

調べる 1 　すがたを変える地球上の水と生物との関係を調べる。

1 　下の図に，例を参考にして，水が出入りすると思うところに矢印 → を書きこむ。

2 　矢印を書きこんだ理由をグループで話し合い，ほかの人の意見をとり入れて，さらに矢印を書きこむ。

家の中で水が使われていると思われるところにも，水の出入りを書きこもう。

処理した水を川に流す。

書きこみ方の例

川の水が海に流れこむ。

書きこみ方の例

ポイント

矢印を書きこんだ理由をふせんに書いてはっておくと，話し合いのときに説明しやすい。

187

結 果

海の水が蒸発する。
雲が風に乗って移動する。
雨が降る。
川から水を引いて、きれいにする。
水を下水に流す。
家や学校などに水を送る。
処理した水を川に流す。
川の水が海に流れこむ。

考 察

結果からいえることを話し合いましょう。

全体を見ると、水はぐるっと流れてまたもどってきているよ。

私たちが使った水も、そのうちにもどってくるんだね。

結 論

地球上の水は蒸発して水蒸気になり、空気中にふくまれていく。

空気中の水蒸気は上空に運ばれて雲になり、雨や雪となって地上にもどってくる。生物が体にとり入れたり、生活に使ったりした水も、

排出された後、じゅんかんして地上にもどってくる。

188

　地球上の空気と生物との関わり，
食物連鎖による生物どうしの関わりについても，
例を参考に，それぞれ矢印を書きこんでみましょう。

[地球上の空気と生物との関わり]　酸素と二酸化炭素の出入りについて矢印を入れる。

[食物連鎖による生物どうしの関わり]　食べられる生物から食べる生物に向けて，矢印を入れる。

　生物と水・空気・食べもののそれぞれの関わりを，
1つの図にまとめて見てみましょう。
　生物は水・空気・食べものを通して，たがいに
関わり合って生きています。私たち人も，
その関わり合いの中で生き，生活しているのです。

太陽

二酸化炭素

酸素

飛行機

水蒸気

酸素　二酸化炭素

火力発電所

酸素　二酸化炭素

船

太陽光発電所

学校

水蒸気

海

公園

風力発電所

二酸化炭素

下水処理場

酸素

「水」「空気」
「食べもの」の
全てが関わり合って
いることがわかるね。

私たち自身も，
地球環境の一部
なんだね。

水蒸気

水蒸気

雨

温泉

酸素

二酸化炭素

二酸化炭素

酸素

二酸化炭素

森

ダム

水蒸気

ごみ処理場

二酸化炭素

酸素

じょう水場

二酸化炭素

酸素

田

二酸化炭素

酸素

牧場

水蒸気

二酸化炭素

酸素

駅

川

コンビニエンスストア

二酸化炭素

酸素

水蒸気

酸素

二酸化炭素

自動車

資料 りかの たまてばこ

私たちが利用できる水は どれくらいあるの？

ESD 環境

水は地球の表面の約70％をおおっています。とてもたくさんの水があって，水が不足するようには思えません。しかし，その多くは海水で，南極や北極などにはこおったままの水もあります。

私たちが生活に利用できる水は，地球上にある水全体の体積の約0.8％だと考えられています。

私たちは，食べものや飲みものから水をとるだけでなく，生活するためにもたくさんの水を使っています。

私たちの生活に必要な水は，1日に1人で約290Lといわれています。2Lのペットボトルで145本分の水を使っていることになります。

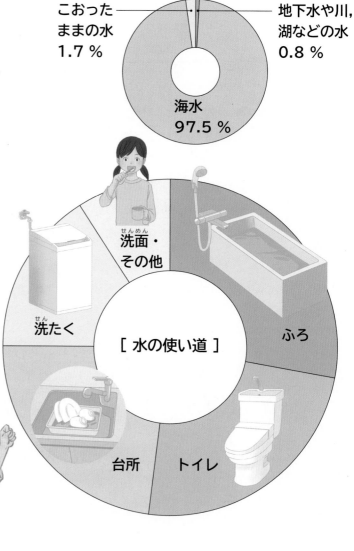

[地球上の水の割合]

こおった ままの水 1.7％

地下水や川，湖などの水 0.8％

海水 97.5％

[水の使い道]

洗面・その他

洗たく

ふろ

台所

トイレ

[1人当たりの 1日に必要な水]

約 290L

「水を守る森」を大切にしよう

森林の地面には，森林で育った植物から落ちたかれ葉やかれ枝などがたくさん積もっています。かれ葉やかれ枝は，地面にすむダンゴムシやミミズの仲間に食べられます。これらの生物のはたらきによって，森林の土は，スポンジのようにすき間の多いつくりになります。そのため，森林の土は，たくさんの水を吸いこんでたくわえることができるようになっています。

森林に降った雨は，森林の土にたくわえられ，ゆっくりとしみこんでいく間に，土のろ過作用などによってきれいな水になります。そして，わき水となって少しずつ流れ出し，やがて川に流れこみます。森林は，たくわえた水をきれいにして，流れ出す量を調節するはたらきをしているのです。

このような森林のはたらきを保つためには，一部の木を切って木の間かくを空け，日当たりなどをよくする必要があります。これを間伐といいます。間伐によって切りたおされた木は，「間伐材」としてさまざまな場所で利用されています。このページも，間伐材を使った紙でできています。

間伐体験
学習の
ようす

森林のはたらきを調べる実験
植物が植えられている土の箱に水を注ぐと，ろ過されたきれいな水が出てくることがわかる。

小学校の多目的室　神奈川県 横浜市立綱島小学校
かべや柱に間伐材が使用されている。

道志水源林　　　　　　　山梨県 道志村
神奈川県横浜市の水源の1つである
道志川周辺の森林。定期的に間伐を
行うなどして，管理されている。

私たちを守る水

　森林に降った雨は，やがて川に流れこみ，じょう水場できれいにされた後，配水管を通って，私たちの元へ届きます。私たちは毎日の生活で，届けられた安全な水を使うことができます。災害のときにも，給水し設などを通して水を使うことができるようになっています。このような安全な水が届けられるしくみは，私たちの生活に欠かせないものになっています。

じょう水場のしくみは，4年で学んだね。

川井じょう水場
神奈川県 横浜市

水源

ダム

取水し設

じょう水場

配水管

生活で使われる水

災害時に使われる水

災害時給水所の標識
神奈川県 横浜市

災害時 給水所
Emergency Water Supply
横浜市 水道局

災害が起こったときに
飲料水を確保できる
給水タンク・給水せんは，
学校や公園などに
設置されている。

水は，災害が起こったときの備蓄飲料水としても利用されている。

横浜水缶 神奈川県 横浜市

このページの紙は，横浜市の水源地道志村の間伐材を使用しています。

地球温暖化
（おんだんか）

近年，地球の気温が少しずつ上がっていることが，
報告されています。このことを地球温暖化といい，空気中の
二酸化炭素が増えているのが原因と考えられています。
　二酸化炭素は，ここ約100年の間で人間の社会活動が
急激（きゅうげき）に活発になり，石油や石炭などの燃料を大量に
燃やしたことによって増加していると考えられています。
　また，森林の伐採（ばっさい）によって，植物に吸収（きゅうしゅう）される二酸化炭素が
減っていることも地球温暖化の原因の1つと考えられています。
　地球温暖化により，世界的な規模（きぼ）での異常（いじょう）気象が
発生して，多くの生物にえいきょうが出てくることが
心配されています。これは，世界全体の問題であることから，
世界各国で協力して解決していくことが求められています。

ホッキョクグマ
気温が上がり，北極付近の氷の面積が小さく
なっている。そのため，氷の上で生活をする
ホッキョクグマの生活がおびやかされている。

Science WORLD サイエンスワールド
生物どうしの関わり

中学校で学ぶこと **発展**

　人などの動物の食べもののもとをたどっていくと，
最後には植物にいきつきます。食物連鎖（しょくもつれんさ）の出発点
となる植物は自分で養分をつくり出すことが
できるため，生産者（よ）と呼ばれます。
また，植物を食べる動物は，生産者である
植物がつくり出した養分を食べるので，
消費者と呼ばれます。
　この関係は右の図のように植物を
土台にしたピラミッドの形で
表すことがあります。
　これは，それぞれの生物の数の
関係を表しています。

大型の肉食動物
タカなど
（消費者）

中型の肉食動物
ヘビなど
（消費者）

小型の肉食動物
カエルなど
（消費者）

草食動物
バッタなど
（消費者）

植物
イネなど
（生産者）

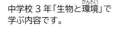

中学校3年「生物と環境（かんきょう）」で
学ぶ内容です。

2 地球環境を守る

問題を見つける

人は，周りの環境にえいきょうをあたえたり，えいきょうを受けたりしながら，生活しています。

184，185ページで見た川を思い出そう。

工事のしかたで，ほかの生物のすむ場所がこんなにちがっている。

人の生活は，ほかの生物の環境に大きなえいきょうをあたえるんだね。

？ 問題

私たちは，地球環境とどのように関わっていけばよいのだろうか。

予想

人の生活の環境へのえいきょうから予想しましょう。

生活の排水や車の排ガスで，水や空気をよごしているね。

できるだけよごさないようにすれば，えいきょうも少ないと思う。

調べる 2　人の生活と地球環境との関わりをいろいろな方法で調べる。

1 いろいろな地域で起こっている，人が環境にえいきょうをあたえている例を本やコンピュータなどで調べる。

2 **1**で調べた例について，えいきょうを少なくしたり，なくしたりする方法を話し合う。

水　生物　空気

水，空気，ほかの生物のどれにえいきょうをあたえているか考えながら調べよう。

調べること
工事をしたときの動物などへのえいきょう

道路をつくったり，土砂くずれを防いだりするための工事が山で行われている。工事をすることで，山にすむ動物たちがどんなえいきょうを受けているのか調べたい。動物たちがすみやすいくふうがされているかも調べようと思う。

調べること
人が川にはなした魚などの生物のえいきょう

学校の近くの川には，もともとはいなかった，人が生物が多くすんでいる。その生物が，もともといた生川の環境にどんなえいきょうをあたえているかに調べようと思う。

調べること
人が捨てたプラスチックのごみのえいきょう

私たちの町は海辺にあるので，海に流れていったプラスチックのごみが，海の生物にどのようなえいきょうをあたえているか調べようと思う。ごみを減らすためにどのようなことが行われているかも調べたい。

多摩川

多摩川に人がはなした生物とそのえいきょうについて調べる
狛江第六小学校の活動

東京都 狛江市

197

📖 結果

結果
・工事によって, 生物がすむ場所や食べものなどが
　えいきょうを受けることがある。排水や排ガス,しん動や
　照明などが, 生物にえいきょうをあたえることもある。
・生物へのえいきょうを少なくするため, 排水や排ガス,
　しん動や照明などを最小限にするくふうが行われている。
　また, 生物のすむ場所が工事によって分かれたときは,
　通り道をつくることなども行われている。

結果
・海の鳥やウミガメなどが, 海に流れ着いたプラスチックの
　ごみを食べものとまちがえて食べたり, 体にからまったり
　するなどのえいきょうを受けている。
・海に流れついたプラスチックをとり除くとり組みが
　行われている。
・プラスチックのごみを川や海に捨てないようにすることが
　えいきょうを少なくする一番の方法だと思った。

結果
・人がはなした生物のえいきょうで, もともといた生物が
　すむ場所をうばわれたり, 食べられたり, 病気になったり
　して, 数が少なくなっている。
・これらの生物をとり除いてえいきょうを少なくしたり,
　ほかの地域に広がることを防ぐとり組みが行われている。

💬 考察　結果からいえることを話し合いましょう。

人の生活は, いろいろな場面で周りの環境にえいきょうをあたえてしまうね。

でも, くふうしてえいきょうを少なくすることができるんだね。

200, 201ページで, 環境にえいきょうをあたえている例や, 環境を守るとり組みの例を見てみよう。

水も空気も, よごすことを少なくしたり, きれいにして環境にもどさないと…

自然の環境を保ちながら生活を続けていくことが大切だね。

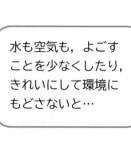

博物館や科学館を利用して環境について考えよう

博物館や科学館には，環境をテーマにした展示を行ったり，身近な環境についてしょうかいしたりしているところがあります。また，さまざまな環境の問題や，環境を守るためのとり組みについて学ぶことができるし設もあります。これらのし設を利用して，身近な環境を守るためにどのようなとり組みが行われているか，調べてみましょう。

ふなばし三番瀬環境学習館

千葉県の干潟（海岸に広がるどろや砂でできた平らな場所。潮の満ち引きによって表面が海水におおわれたり現れたりする。）である三番瀬の環境や，そこにすむ水鳥やアサリなどの生物について学ぶことができる。　千葉県 船橋市

干潟の底にすむ生物の模型を使った体験学習

環境にえいきょうが少ない製品を考える体験学習

熊本県環境センター

地域の環境や地球環境に関する問題，ごみの問題などについて学ぶことができる。　熊本県 水俣市

霞ヶ浦 茨城県，千葉県

ヨシは水のよごれをおさえる
はたらきがあるので，ヨシを植えて
水をきれいにするなどの
くふうをしている。

環境にえいきょうを

鉱山から流れる有害なもの
アメリカ合衆国

銅などをとる鉱山から有害な
ものが川に流れこみ，生物だけ
でなく，川の下流に住む人々の
健康にも害をおよぼすことがある。

 水

湖などの水のよごれ

湖の周辺から流れこむ
生活排水や農業排水などが原因で，
湖の水がよごれることがある。
湖の水がよごれると，魚などの生物が
すめなくなったり，ひどいにおいが
発生したりすることがある。

渡良瀬遊水地 茨城県，栃木県，
群馬県，埼玉県

明治時代，足尾銅山から流れてくる
よごれた水がこう水によって
周りの地域に広がらないように
するためつくられた。

増加する自動車

世界各地の都市では，自動車からの排ガスにより，
周りの空気がよごれ，人の健康へのえいきょうも
心配されている。

自動車の共同利用

自動車を共同利用する
ことで，自動車の使用を
おさえたり，公共の乗りものの
利用を進めたりして，環境への
えいきょうを少なくする
とり組みが行われている。

 空気

とり組みの例

およぼしている例

干潟を守る活動
福岡県 北九州市
曽根干潟の自然や，干潟に
すむ多くの生物の生活を
守るため，ごみ拾いなどの
活動が行われている。

干潟の減少
干潟にはアサリやカニなどの
数多くの生物がすみ，それらを食べる
たくさんの生物の命を支えている。
その干潟が，土地利用の拡大
などによってうめ立てられ，
世界中で減少している。

生物どうしの関わり合い
アメリカ合衆国
人がウシなどの家ちくを守るために，
オオカミの数を減らしてしまった。
その後，おそれなくなった
森にすむシカが急増し，
木や草などを大量に食べたため，
周辺の草原があらされた。

生物

生物どうしのバランスを考える
アメリカ合衆国
他の地域からオオカミを連れてきて，
シカが増え過ぎないよう管理しながら，
自然豊かな環境にもどそうという
活動が行われている。

アマゾン周辺の森林伐採
ペルー共和国

アマゾンでの植林活動
ペルー共和国
一部の地域では，
自然保護活動を行う人々の
呼びかけにより，材木を
売る会社が自分たちで
植林を行っている。

 発表

これまでの自分たちの
生活をふり返って,
私(わたし)たちはこれから
どのように生活して
いけばよいのか
考えてまとめ,
発表しましょう。

環境学習発表会

1つの町で,
環境(かんきょう)へのえいきょうを
少なくするくふうを
まとめてみました。

 Science WORLD サイエンスワールド

中学校で学ぶこと 発展

太陽の光のめぐみ

　太陽の光は,空気をあたためて風を
起こしたり,水を蒸発(じょうはつ)させて雲をつくり
雨や雪を降(ふ)らせたりします。降った水は
川の水となって流れて,風は風力発電に,
川の水は水力発電に利用されています。
太陽の光による発電も広く利用されています。
　また,太陽の光は植物を育てます。
その植物を食べて,動物が育ちます。
　石炭や石油などの燃料は,太陽の光で
育った大昔の植物や小さな生物が長い
年月をかけて変化してできたものです。
　このように,私たちが利用する
エネルギーのほとんどは,太陽の光が
もとになっています。

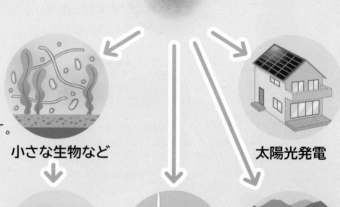

小さな生物など

太陽光発電

石炭・石油

風力発電

水力発電

地球は，太陽の光を浴び，空気の層で包まれ，表面に豊富な水を
たたえています。豊かな自然にめぐまれたこの地球上で，
たくさんの生物がたがいに関わり合いながら生きています。
　このかけがえのない地球で，生物が生き続けていくためには，
その一員にすぎない人だけの都合で自然をこわしたり，よごしたり
しないことが大切です。地球の豊かな自然を守るために，
自分にできることから始めていきましょう。

理科のノートの書き方

ノートは，結果を記録するだけでなく，ふり返ったときに「予想」「考察」「結論」などがわかるように，下の例を参考にして書こう。

一度書いたことは消さないようにしよう。

---

1 6月6日（月）　晴れ　気温 26 ℃

　問　題

2
人は，空気を吸ったり
はいたりするとき，何をとり入れ，
何を出しているのだろうか。

　予　想

3
・人が空気を吸ったりはいたりするときも，
　酸素を使って，二酸化炭素を出すと思う。
　理由：ものを燃やすときに，
　　　　酸素が使われて減り，
　　　　二酸化炭素が増えたから。

　実験方法

4
・吸う空気とはいた空気をふくろに集める。
　①酸素と二酸化炭素の体積の割合の
　　変化は，気体検知管で調べる。
　②二酸化炭素があるかどうかは，
　　石灰水で調べる。

気体検知管

石灰水を入れてふる。

　結　果

5

ふくまれる気体の割合

	吸う空気	はいた空気
酸素	21 %	17 %
二酸化炭素	0.03 % くらい	4 %

・はいた空気に石灰水を入れてふったら，
　白くにごった。

　考　察

6
・はいた空気は吸う空気より，酸素が減って，
　二酸化炭素が増えていた。
・予想どおり，人は，空気を吸って酸素を使い，
　二酸化炭素を出しているようだ。

　結　論

7
・人は，空気を吸ったりはいたりするとき，
　酸素の一部をとり入れて，
　二酸化炭素を出している。

　感　想

8
　人は，どのように酸素を体の中にとり入れ，
二酸化炭素を体の外に出しているのだろうか。
ほかの動物ではどうだろうか。調べてみたい。

---

1 書き始めは，「日にち」「天気」「気温」
などを書こう。

2 学習問題は　　　で囲み，
学習の目的をはっきりさせよう。

3 自分の考えや，考えた理由を書こう。
これまでに学習したことや生活の
中での経験をもとに考えよう。

4 ふり返ることができるように，
実験方法や手順を書いておこう。

5 結果はできるだけ図や表にまとめよう。
ここでは事実だけを書くようにしよう。
うまくいかなかったことも書こう。

6 自分の予想したことをふり返り，結果から
どのようなことがいえるか，まとめていこう。

7 「結論」は　　　で囲み，学習問題に
対する答えになるように書こう。

8 この学習から新しく思ったことや，
さらに調べてみたいことを書こう。

コンピュータで調べよう

◎ 電子メールを使ってみよう。

電子メールを使うと，情報を伝え合うのに便利です。
コンピュータやスマートフォンで電子メールを
送ったり，受けとったりしてみよう。

 注意 電子メールは，ウイルスがいっしょに
送られるなどの問題が起こることがある。
電子メールを使うときは，
先生や家の人といっしょに行う。

◎ インターネットでウェブサイトを見てみよう。

● 興味をもったウェブサイトがあったら，
記録しておこう。
● 記録した結果を友達と伝え合い，
感想を話し合おう。

電子メールのほかに，SNS
（ソーシャル・ネットワーキング・
サービス）などでも情報を交かん
できます。
これらを利用するときは，
次のような注意が必要です。
・使用するときは先生や家の人に
相談する。
・コンピュータやスマートフォンは
長い時間使わない。
・自分や友達の個人情報は書かない。
・送信する前に受けとる人の
気持ちを考えて読み直す。

 注意

インターネットで
ウェブサイトを見るときは，
先生や家の人と
いっしょに行う。

インターネットでは，
本の検索もできるよ。

図書館の本で調べよう

① 調べたいことをノートに書こう。

② 図書館（図書室）に行って，調べたいことに
関係のある本を探して調べよう。
調べたことは，ノートに記録しよう。

③ 本の探し方がわからないときは，
先生や図書館の係の人に聞こう。

◎ 週に1回以上は図書館に行こう。

本のしょうかい

科学館・博物館 に行ってみよう

科学館・博物館では，理科の学習に関係のあるイベントや展示を行っています。実際に見学して，学習を深めましょう。

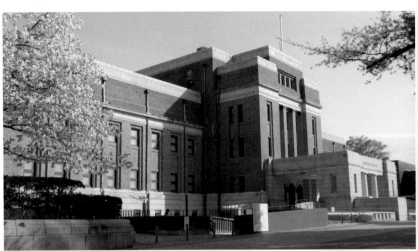

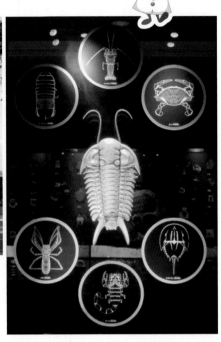

国立科学博物館　　　　　　　　　　　東京都 台東区
1877年に創立されました。日本最大級の総合科学博物館です。
日本館と地球館の2つの建てもので，「人類と自然の共存をめざして」を
テーマに展示しています。

ディスカバリーパーク焼津天文科学館　　　静岡県 焼津市
宇宙，海，自然の3つをテーマに展示やイベントを行っています。
大型の天体望遠鏡で星を観測する見学会もあります。

豊橋市自然史博物館

愛知県 豊橋市

地球と生物の歴史や，身近な自然などについて展示しています。
豊橋総合動植物公園の中にあり，自然に親しみながら学べます。

京エコロジーセンター

京都府 京都市

「エコロジー」とは，主に，人の生活と自然との調和を目指す考え方です。
館内には，エコロジーをさまざまに体験できる展示があります。

私たちの
理科室

☐ 先生の指示は
いつでも聞ける
ようにしよう。

☐ 準備室に勝手に
入ってはいけないよ。

身なりをチェックしよう。
☐ 長いかみは結ぶ。
☐ ボタンやジッパーは閉める。
☐ 服のそでやひもが器具に
かからないようにする。

理科室にはどのような器具や道具が
あるのでしょうか。
　どのような実験をするのでしょうか。
　きまりを守って，安全に実験
しましょう。

【理科室のきまり】

なぜこのようにするのか，理由も考えよう。

実験の準備をするとき

☐ 器具はトレーなどに入れて，落とさないようにしっかり持って，静かに運ぶ。
☐ 机（つくえ）の上には実験に必要なものだけを置く。

《火を使うとき》
☐ ぬらしたぞうきんや燃えがら入れなどを用意する。
☐ 燃えやすいものはしまう。

《薬品を使うとき》
☐ 保護めがねをかける。
☐ 薬品が区別できるようになっているか確にんする。

食塩水

実験をするとき

☐ 実験は立って行う。いすを使わないときは，机の下にしまう。
☐ 実験はできるだけ机の真ん中で行う。
☐ 周りの友達とぶつからないように，できるだけ場所を広くとって実験する。

《火を使うとき》
☐ 水などを熱するときは，保護めがねをかける。
☐ 液体を熱しているときは，液体に顔を近づけない。
☐ かん気をする。

《薬品を使うとき》
☐ 薬品は手でふれたり口に入れたりしない。
☐ 薬品の量は先生の指示のとおりにする。
☐ においを調べるときは，直接かがず手であおいでかぐ。

液体に顔を近づけない。

実験が終わったら

☐ ガラス器具などは洗（あら）って，かわかす。
☐ 使ったものは元の場所にしまう。
☐ 手を洗う。

《火を使ったとき》
☐ 熱したものや使った器具は，冷めるまでさわらない。

《薬品を使ったとき》
☐ 薬品は，先生の指示に従（したが）って，決められたところに集める。

ブラシを短く持つ。

試験管をブラシで洗うときは，力を入れすぎて底を割（わ）らないよう，気をつける。

このようなときは

☐ やけどをしたら，すぐに水などで十分に冷やす。また，すぐに先生に知らせる。
☐ 薬品が手についたときや目に入ったときは，すぐに流水で洗い流す。また，すぐに先生に知らせる。
☐ 器具などをこわしたら，さわらずにすぐに先生に知らせる。
☐ 地震（じしん）が起こったら，先生の指示に従って行動する。

使い方を覚えよう

正しい使い方を覚えて，
安全に観察や実験をしよう。

気体検知管

とりこんだ気体にどれくらい酸素や二酸化炭素が
あるかを調べることができる。

カバーゴム　　気体検知管　　　　　　　　　　　　　気体採取器　　　　　　印

気体採取器・50-2

ハンドル

● **二酸化炭素用検知管**

0.03 ～ 1.0 ％用

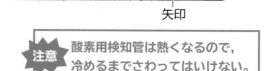

矢印

0.5 ～ 8.0 ％用
（0.03 ～ 1.0 ％用ではかり切れないときに使う。）

矢印

● **酸素用検知管**

矢印

> **注意** 酸素用検知管は熱くなるので，
> 冷めるまでさわってはいけない。

① チップホルダで検知管の両はしを折りとる。

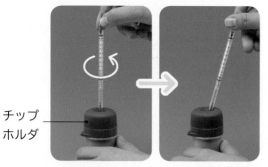

チップ
ホルダ

検知管を回してきずをつけ，折りとる。

② 矢印のないほうのはしに，カバーゴムを
つける。

③ 検知管の矢印を気体採取器に向け，
差しこむ。

④ 検知管に書かれている，とりこむ気体の量を
確にんする。その量を示す印が赤い線と
合うように，ハンドルを回す。

赤い線

とりこむ気体の量　　　ハンドル

⑤ びんなどに検知管を入れ，ハンドルを一気に
引いて固定する。そのまま決められた時間待つ。

⑥ 検知管をとり外し，色が変わったところの
目盛りを読む。

検知管の示す数値は，
酸素や二酸化炭素の体積が，
とりこんだ気体全部の
体積の何％なのかを
示している。

二酸化炭素用検知管の
色が変わったようす。
３％を示している。

石灰水 | 二酸化炭素があるかを調べることができる。

調べたい気体を石灰水に通す。
または,調べたい気体をびんにとり,石灰水を入れてふり混ぜる。

気体

石灰水

二酸化炭素があると
石灰水が白くにごる。

酸素や二酸化炭素の量は,
下の写真のような器具でも
調べられるよ。

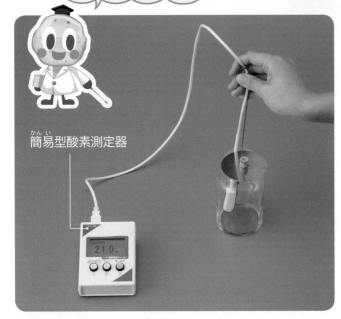

簡易型酸素測定器

酸素の量を調べることができる。

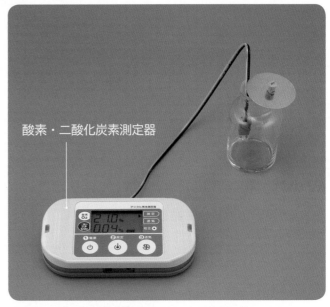

酸素・二酸化炭素測定器

酸素や二酸化炭素の量を調べることができる。

けんび鏡 | 小さなものを大きくして見ることができる。

① 対物レンズを一番低い
倍率にする。
接眼レンズをのぞきながら，
反射鏡の向きを変えて，
明るく見えるようにする。

② プレパラートをステージの
上に置き，観察したい
部分が，穴の中央に
くるようにする。

③ 横から見ながら調節ねじを
少しずつ回し，対物レンズと
プレパラートの間を
できるだけせまくする。

④ 接眼レンズをのぞきながら
調節ねじを回し，
対物レンズとプレパラートの
間を少しずつ広げて，
ピントを合わせる。

⑤ 対物レンズや接眼レンズを
変えて，倍率を変える。

注意

目をいためるので，直射日光の
当たらない明るいところに置いて使う。

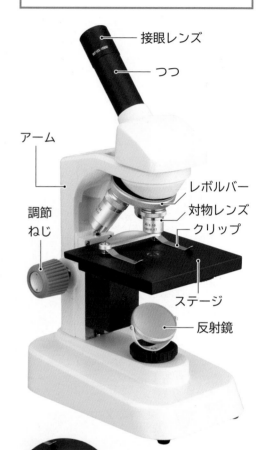

接眼レンズ

つつ

アーム

レボルバー

対物レンズ

クリップ

調節
ねじ

ステージ

反射鏡

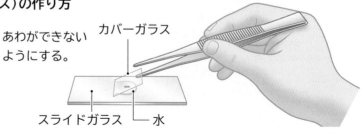

反射鏡を発光ダイオード
などの光源に変えられる
けんび鏡もある。

けんび鏡で見ると，見るものの上と下，左と右が逆に見える。
また，けんび鏡の倍率は接眼レンズと対物レンズの組み合わせで決まる。
倍率を高くすると，より大きく見える。

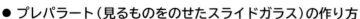

(倍率) ＝ (接眼レンズの倍率) ✕ (対物レンズの倍率)

● プレパラート（見るものをのせたスライドガラス）の作り方

① スライドガラスに，見るものをのせる。
必要なときは，水を1てき落とす。

② カバーガラスをかぶせる。

③ はみ出した周りの水をろ紙で吸いとる。

あわができない
ようにする。

カバーガラス

スライドガラス

水

方位磁針 ┊ 針の，色のついている先が北をさすため，方位を知ることができる。

止まったときに，
針の，色のついている
先がさしている
向きが北。

ポイント
磁石のそばに
置かない。

❶ 方位磁針が水平になる
ように手のひらに置く。
針の動きが止まるまで
待つ。

❷ ケースを回して，
針の，色のついている
先の向きと文字ばんの
「北」の向きを合わせる。

こまごめピペット ┊ 液体を吸いとって，別の容器に移すことなどができる。

ゴム球

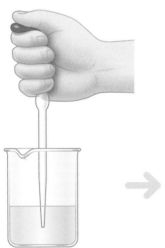

❶ ゴム球をおしつぶしてから，
こまごめピペットの先を
液体の中に入れる。

❷ ゴム球をそっと
はなしながら，液体を
ゆっくり吸い上げる。

❸ ゴム球を軽くおして，
別の容器に液体を入れる。

ポイント ゴム球に液体が入るとゴム球をいためるので，
こまごめピペットの先を上に向けない。

実験用ガスこんろ | ものを熱することができる。

《準備》
● 平らな安定した場所に置く。
● ガスボンベを切れこみに沿って カチッと音がするまで入れる。
● ぬらしたぞうきんを用意する。

注意
- 火がついたままガスこんろを動かしてはいけない。
- 火を消した後も，ガスこんろやガスボンベには， 冷めるまでさわらない。

①　火をつける。
　火力を調節するつまみをカチッと 音がするまで「点火」のほうに 回して，火をつける。

②　火力を調節する。
　つまみを回して，火力を調節する。

③　火を消す。
　つまみを「消」まで回して， 火を消す。火が消えていることを しっかり確かめる。
　ガスこんろやガスボンベが 冷めたら，ガスボンベを外す。
　もう一度つまみを「点火」まで 回して，中に残ったガスを燃やす。

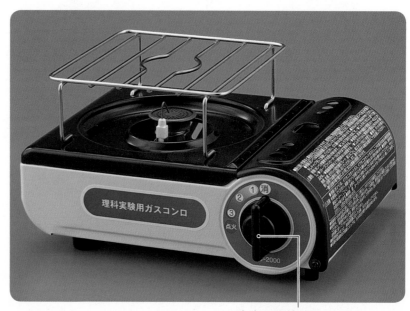

理科実験用ガスコンロ

火力を調節するつまみ

虫めがね | 小さなものを大きくして見ることができる。

● **動かせるものを見るとき**
① 虫めがねを目の近くに持つ。
② 見るものを虫めがねに近づけたり遠ざけたり して，はっきりと見えるところで止める。

● **動かせないものを見るとき**
① 虫めがねを目の近くに持つ。
② 見るものに近づいたり遠ざかったりして， はっきりと見えるところで止まる。

注意
目をいためるので， 虫めがねで太陽を 見てはいけない。

双眼実体けんび鏡

小さなものを大きくして見ることができる。厚みのあるものを立体的に観察するときに適している。

① 見るものをステージの上に置く。
接眼レンズのはばをおおよそ目のはばに合わせ，両目で見る。見えているものが1つに重なるようにはばを調節する。

② 右目でのぞきながら調節ねじを回して，はっきり見えるように調節する。左目でのぞきながら，視度調節リングを回して，はっきり見えるように調節する。

③ 観察したい部分が，対物レンズの真下にくるようにして観察する。

- 接眼レンズ
- 視度調節リング
- 調節ねじ
- 対物レンズ
- アーム
- ステージ

手回し発電機

発電することができる。

ハンドルの回す向きを決めて，一定の速さで回す。

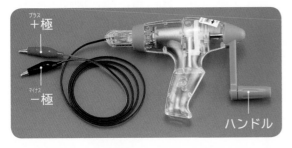

- ＋極
- −極
- ハンドル

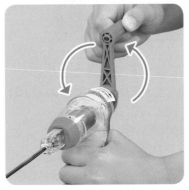

ポイント

こわれやすいので，ハンドルを速く回しすぎないようにする。

回す向きを変えると流れる電流の向きが変わったり，回す速さを変えると電流の大きさが変わったりするものがある。

コンデンサー

電気をためることができる。

コンデンサーの＋たんしに発電機の＋極を，コンデンサーの−たんしに発電機の−極をつないで，発電機のハンドルを回す。

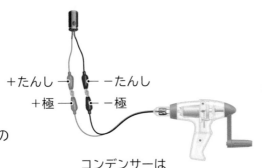

- ＋たんし
- −たんし
- ＋極
- −極

コンデンサーはちく電器ともいう。

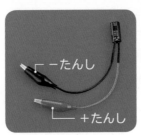

- −たんし
- ＋たんし

コンデンサーには，＋たんしと−たんしがある。

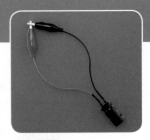

ポイント

実験が終わったら，＋たんしと−たんしをつなぎ，たまっている電気をなくしておく。

215

6年の まとめ

学んだことを
まとめて,
中学校の学習に
つなげよう。

てこのはたらき
148〜163 ページ

☐ 力を加える位置や力の大きさを変えると,
てこをかたむけるはたらきが変わる。

　に言葉を入れよう。

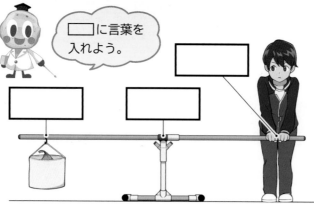

☐ 実験用てこのうでが水平になってつり合うとき,
左右のうでの「力の大きさ」と「支点からのきょり」の
積が等しい。

（左うで）
30 × 2＝60

（右うで）
20 × 3＝60

30 g
20 g

左うでの力の大きさ	×	左うでの支点からのきょり	＝	右うでの力の大きさ	×	右うでの支点からのきょり

☐ 実験用てこの支点から等しいきょりに,
等しい重さのおもりをつるしたとき,
左右のうでは水平になってつり合う。

☐ 身の回りには,てこの
はたらきを利用した
道具がある。

くぎぬき　　せんぬき

私たちの生活と電気
164〜181 ページ

☐ 電気は,つくったりためたり
することができる。

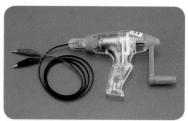

手回し発電機

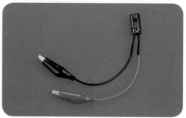

コンデンサー

☐ 電気は,光,音,熱,運動
などに変わる性質がある。

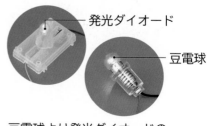

発光ダイオード
豆電球

豆電球より発光ダイオードの
ほうが使う電気の量が少ない。

☐ 身の回りには,電気の性質や
はたらきを利用した道具が
ある。

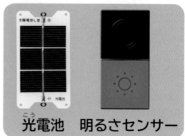

光電池　明るさセンサー

もののもえ方

10 〜 27 ページ

□ ろうそくや木など, ものが燃える
ときには, 空気中の酸素の一部が
使われて, 二酸化炭素ができる。

石灰水

ものを燃やす
前の空気

ものを燃やした
後の空気

ほのお

木

灰

炭

木は空気中で燃えて炭や灰になる。

二酸化炭素などその他の気体

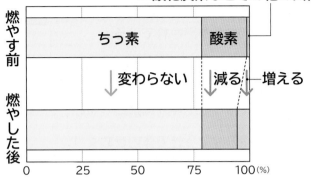

燃やす前

ちっ素	酸素

変わらない　　減る　増える

燃やした後

0　　25　　50　　75　　100(%)

酸素

酸素には
ものを燃やす
はたらきがある。

水よう液の性質

104 〜 123 ページ

□ 水よう液には, 酸性, アルカリ性,
中性のものがある。

の水よう液	の水よう液	の水よう液
青色	青色	青色
赤色	赤色	赤色
青色リトマス紙が赤色に変わる。	青色, 赤色のどちらのリトマス紙も色が変わらない。	赤色リトマス紙が青色に変わる。

□ 水よう液には,
気体がとけているものがある。

炭酸水

何も
残らない。

炭酸水をふったり
あたためたり
するとあわが出る。

石灰水

炭酸水から出た
二酸化炭素の
あわ

二酸化炭素

水

ふり
混ぜる。

へこむ。

□ 水よう液には, 金属を別のものに
変化させるものがある。

塩酸

アルミニウム

とけた
上ずみ液を
熱する。

白い固体

塩酸

あわは
出ない。

体のつくりとはたらき
36 ～ 59 ページ

☐ 体内に酸素がとり入れられ，体外に
二酸化炭素などが出されている。

☐ 食べものは，口，胃，腸などを
通る間に，消化，吸収され，吸収
されなかったものは体外に出される。

☐ 血液は心臓のはたらきで体内をめぐり，
酸素や二酸化炭素，養分などを運ぶ。

☐ 体内には，生きるために必要な
さまざまな臓器がある。

	… 酸素を体にとり入れて 二酸化炭素を出すこと。
	… はく動（心臓の動き）に よって起こる血管の動き。

植物の成長と日光の関わり ／ 植物の成長と水の関わり
28 ～ 35 ページ　　60 ～ 71 ページ

☐ 植物の葉に日光が当たると
デンプンができる。

ヨウ素液

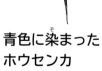

日光に
当てなかった
とき

日光に
当てたとき

☐ 根，くき，葉には，水の通り道があり，根から
吸い上げられた水は主に葉から空気中に出ている。

青色に染まった
ホウセンカ

	… 水が水蒸気になって 植物から出ること。
	… 葉の表面にある 小さな穴。

218

生物どうしの関わり ／ 生物と地球環境
72 ～ 87 ページ ／ 184 ～ 203 ページ

□ 生物は，水および
空気を通して周りの
環境と関わって
生きている。

水のじゅんかん

酸素
二酸化
炭素
二酸化
炭素
酸素

□ 生物の間には，食べる・
食べられるの関係がある。

□ 人は，環境と関わって
くふうして生活している。

土地のつくりと変化
124 ～ 147 ページ

□ 土地は，れき，砂，
どろ，火山灰など
からできていて，
層をつくって
広がっている。

□ 層には化石がふくまれて
いるものがある。

貝の
化石

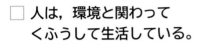 …れきや砂，どろ，火山灰などが
層になって重なり合って広がって
いるもの。

□ 地層は，流れる水の
はたらきや火山の
ふん火によってできる。

しん食
運ぱん
たい積

□ 土地は，火山のふん火や
地震によって変化する。

月と太陽
92 ～ 103 ページ

□ 月のかがやいている側に
太陽がある。

□ 月の形の見え方は，
太陽と月との位置関係に
よって変わる。

【 チャレンジ問題 】

次の問題に
チャレンジしましょう。

としやさんたちは地球温暖化（おんだんか）について調べていて，
下のグラフと図を目にしました。

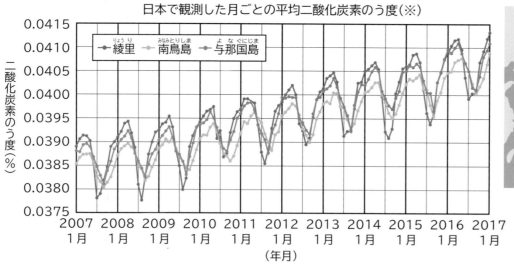

日本で観測した月ごとの平均二酸化炭素のう度（※）

二酸化炭素のう度（％）

凡例：綾里（りょうり）　南鳥島（みなみとりしま）　与那国島（よ なぐにじま）

2007年1月　2008年1月　2009年1月　2010年1月　2011年1月　2012年1月　2013年1月　2014年1月　2015年1月　2016年1月　2017年1月
（年月）

綾里　南鳥島　与那国島

※二酸化炭素のう度とは，
空気中の二酸化炭素の
体積の割合（わりあい）のこと。

❶ 上のグラフを見て気づいたことを
書きましょう。

二酸化炭素のう度は，
最近のほうが…

としやさん

どの地点でも，
二酸化炭素のう度は
同じように…

さとみさん

しんやさん

場所によって
増減のでこぼこの
大きさが…

❷ としやさんたちは，さとみさんとしんやさんが
気づいたことをもとにして，「夏と冬で二酸化炭素
のう度が増減をくり返すのはなぜだろうか」という
問題を見いだし，表のように予想しました。
予想の理由として考えられるのは右側のどれか，
当てはまる●を全て線で結びましょう。

としやさん

さとみさん

	予想		予想の理由
としやさん	植物のはたらきで，夏は冬より，二酸化炭素が減るから。	●	● 炭酸水をあたためると，あわがたくさん出る。 ● 植物は冬より夏のほうが葉がよくしげっている。 ● ろうそくなどのものを燃やすと，二酸化炭素が増える。 ● 植物は，日光が当たると二酸化炭素を吸収する。
さとみさん	暖ぼうなどで二酸化炭素を多く出すので，冬に二酸化炭素が増えるから。	●	

❸ 緯度別の二酸化炭素のう度を調べると，右のグラフのようになりました。このグラフからわかることは⑦〜工のどれでしょうか。

⑦ 北半球では，北に行くほど酸素が平均してこい。

⑦ 北半球では，北に行くほど二酸化炭素が平均してこい。

⑦ 北半球では，北に行くほど酸素の増減が大きい。

工 北半球では，北に行くほど二酸化炭素の増減が大きい。

❹ あなたは，❶〜❸の問題を解いて，さらにどのような問題を見いだしましたか。

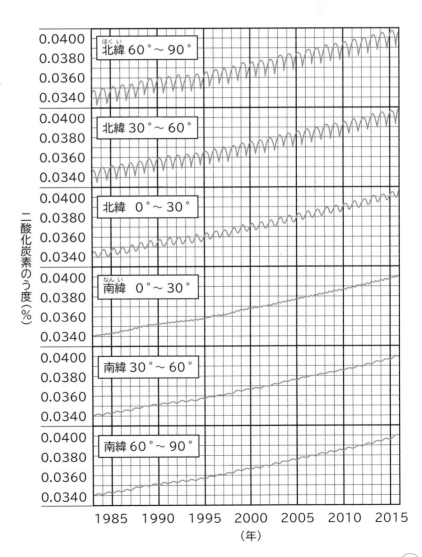

中学生になったら……

中学校では小学校で学んだ内容をくわしく学習したり，小学校で学んでいない新しい内容を学習したりします。

中学生になったら，どのようなことを調べるのかな。

物質のすがた
- 身の回りの物質とその性質
- 気体の発生と性質

水よう液
- 水よう液

状態変化
- 状態変化と熱
- 物質のゆう点とふっ点

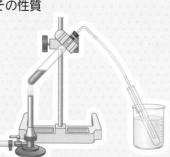

生物の観察と分類のしかた
- 生物の観察
- 生物の特ちょうと分類のしかた

生物の体
- 植物の体
- 動物の体

光と音
- 光の反射・くっ折
- 凸レンズのはたらき
- 音の性質

力のはたらき
- 力のはたらき

身近な地形や地層，岩石の観察
- 身近な地形や地層，岩石の観察

地層の重なりと過去のようす
- 地層の重なりと過去のようす

火山と地震
- 火山活動と火成岩
- 地震の伝わり方と地球内部のはたらき

自然のめぐみと火山災害・地震災害
- 自然のめぐみと火山災害・地震災害

科学者の言葉

マリー・キュリー
（1867 ～ 1934 年）

" 人生でおそれることは何もありません。あるのは，理解するべきことだけです。 "

There is nothing to fear in life, it is only to understand.

英語 ABC

ポーランド生まれのマリー・キュリーは，幼いときは，父親の使っていた電気の実験器具に興味をもっていました。大学卒業後は，放射線などの物理学や化学の研究を行い，ノーベル物理学賞と化学賞を受賞しました。研究成果は，科学や医学の世界に大きく役立っています。

たのしい理科の クイズすごろく

さいころ　こま

さいころとこまの作り方

1. このページをコピーしたり，ウェブサイトからプリントしたりする。
2. ── 線に沿って切る。
3. ---- 線を山おりにする。
4. のりしろにのりをぬって，組み立てる。

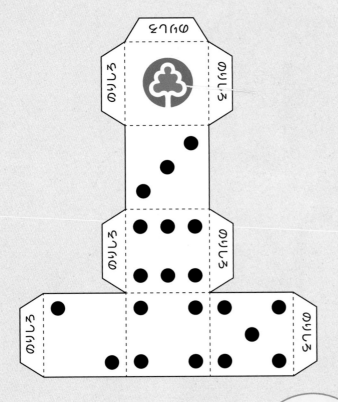

のりしろ　のりしろ　のりしろ　のりしろ

遊び方

右の鳥がいるますに止まると，矢印の向きにワープできるよ。

1. クイズを出す人と答える人を決める。
2. 答える人は，さいころをふって出た目の数に従ってこまを進める。
3. 止まったますの番号のクイズに正解すると，1ます進む。正解できないと1ますもどる。

ダイシャクシギ

ダイサギ

オナガガモ

コチドリ

谷津干潟にくる鳥　千葉県 習志野市

たのしい理科の クイズすごろく

クイズに正解すると1ます進んで，正解できないと1ますもどるよ。

START

1

2

15
チャレンジクイズ

14

16

GOAL

13

がんばれ〜

12

ワープ

11

お台場海浜公園　東京都 港区

空いている
ところは問題を
つくってみよう。

クイズの問題と答え

問題		答え
1	空気中でろうそくや木を燃やした後，減る気体は何ですか。また，増える気体は何ですか。	減る気体は酸素。増える気体は二酸化炭素。
2	植物の葉に日光が当たるとできる養分を何といいますか。	デンプン
3	生物が体の中に酸素をとり入れて，二酸化炭素を出すことを何といいますか。	呼吸（こきゅう）
4	食べものが体に吸収（きゅうしゅう）されやすい養分に変化することを何といいますか。	消化
5		
6	水が，水蒸気（すいじょうき）となって植物から出ることを何といいますか。	蒸散（じょうさん）
7	動物が食べているものをたどると，日光が当たると養分ができる何にたどり着きますか。	植物
8	植物は日光が当たると，空気中の何をとり入れて，何を出しますか。	二酸化炭素をとり入れて，酸素を出す。
9	月の形が日によって変わって見えるのは，何と何の位置関係が変わるからですか。	月と太陽の位置関係
10		

問題		答え
11	酸性の水よう液は，何色のリトマス紙を何色に変えますか。	青色のリトマス紙を赤色に変える。
12	アルカリ性の水よう液は，何色のリトマス紙を何色に変えますか。	赤色のリトマス紙を青色に変える。
13	炭酸水にとけている気体は何ですか。	二酸化炭素
14	れきや砂（すな），どろなどの層（そう）が重なり合って広がっているものを何といいますか。	地層（ちそう）
15		
16	実験用てこのうでが水平になってつり合うときは，左右の「力の大きさ」と「支点からのきょり」の積がどうなるときでしょうか。	等しくなるとき
17	光電池（こう）は何を電気に変えていますか。	光
18	使う電気の量が少ないのは，豆電球と発光ダイオードのどちらですか。	発光ダイオード
19	地球環境（かんきょう）を守るために，あなたができることを1つ挙げましょう。	地球環境を守る内容になっていれば正解。
20		